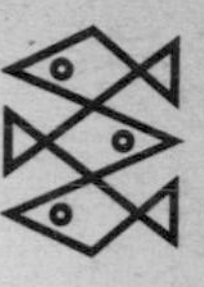

Über dieses Buch

In Frankreich hat man erst relativ spät damit begonnen, die Märchen systematisch zu sammeln und aufzuzeichnen. In der Zeit vor der Revolution hatten sich der Adel und die Gebildeten dem Volk und seinen Geschichten, Fabeln und Legenden völlig entfremdet, und so wurden Märchen als »Mutter-Gans- oder Storchengeschichten« verächtlich abgetan. Die Französische Revolution brachte mit dem großen sozialen Umschwung auch einen Bewußtseinswandel; das ›goldene Zeitalter‹ der Märchenforschung begann, von der auch diese Sammlung profitiert.
In der französischen Literatur haben keltische, antike und germanische Einflüsse ihre Spuren hinterlassen. Spätere Formen und Stoffe, die bis heute eine große Rolle spielen, sind die Fabliaux – kurze Reimschwänke – des späteren Mittelalters, die von Priestern verbreiteten Heiligenlegenden und Elemente aus Rabelais' ›Gargantua‹ und den Fabeln La Fontaines. Parallelen zu den deutschen Volksmärchen gibt es auch hier; aber während im deutschen Märchen die verzauberte Wunderwelt dominiert, wird in den französischen eher eine humanistisch-realistische Welt beschrieben.

Französische Märchen

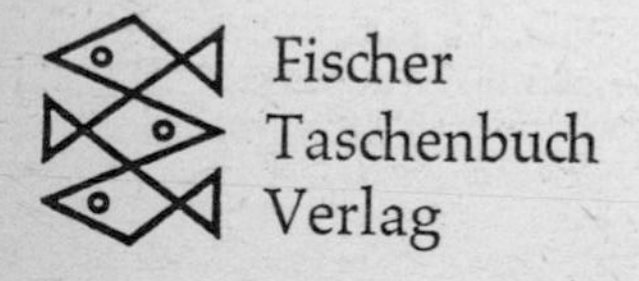
Fischer
Taschenbuch
Verlag

Übersetzung und Nachwort von Ré Soupault

Fischer Taschenbuch Verlag
1.–22. Tausend: Dezember 1970
23.–30. Tausend: Juni 1972
31.–37. Tausend: März 1973
38.–45. Tausend: Oktober 1973
46.–52. Tausend: April 1974
53.–65. Tausend: September 1974
66.–75. Tausend: August 1975
Umschlagentwurf: Jan Buchholz / Reni Hinsch
Fischer Taschenbuch Verlag GmbH, Frankfurt am Main

Gesamtherstellung: Hanseatische Druckanstalt GmbH, Hamburg
Printed in Germany
ISBN 3 436 01309 9

Inhalt

Aucassin und Nicolette

Aucassin, der Sohn des Grafen von Beaucaire, liebte eine Jungfrau, die hieß Nicolette. Sie hatte blonde, dichtgelockte Haare, blaue, lachende Augen, ein ovales Antlitz, eine stolze wohlgeformte Nase, Lippen von zarterem Rot als Kirschen und Rosen zur Sommerszeit und kleine weiße Zähne. Ihre Brüstlein waren hart und hoben ihr Gewand nicht höher, als es zwei Walnüsse getan hätten. Sie war schlank um die Lenden, daß ihr sie mit euren beiden Händen hättet umspannen können, und die Maßliebchen, die, von ihren Zehen geknickt, auf ihre Reihen fielen, waren geradezu schwarz gegen ihre Füße und Beine: so weiß war das Mägdlein. Nicolette war aber eine Gefangene, die aus fremden Landen hergeführt worden war. Von Sarazenen hatte sie der Vizegraf gekauft, er hatte sie aus der Taufe gehoben und zu seinem Patenkind gemacht. So kam es, daß der Graf, Aucassins Vater, unter keinen Umständen eine Verbindung seines Sohnes mit der Jungfrau dulden wollte. Diesen hatte sein Liebesgram so niedergedrückt, daß er sich aller ritterlichen Übungen enthielt und nur seinen Gedanken an Nicolette nachhing. Nicht einmal die ewige Seligkeit kümmerte ihn mehr. »Was habe ich im Paradiese zu tun?« sagte er. »Ich will gar nicht hinein, wenn ich nur Nicolette habe, mein süßes Mädchen, das ich von Herzen liebe. Ins Paradies kommen nur jene alten Pfaffen und jene alten Krüppel und Lahmen, die Tag und Nacht vor den Altären und in den alten Grüften hocken, die mit den alten abgeschabten Kapuzen und den alten Lumpen angetan, die nackt sind und barfuß und ohne Hosen, und vor Hunger und Durst, Frost und Elend sterben. Die kommen ins Paradies; mit denen habe ich nichts zu tun. Aber in die Hölle will ich gehen! Denn in die Hölle kommen die weisen Meister und die schönen Ritter, die in Turnieren und in gewaltigen Kriegen gefallen sind, die guten Knappen und die freien Männer. Mit diesen will ich gehn! Auch kommen dahin die schönen höfischen Damen, die neben ihrem Herrn zwei oder drei Freunde hatten. Auch kommen dahin das Gold und das Silber, Pelz und Grauwerk und Harfner und Spielleute und die Könige der Welt. Mit diesen will ich gehn; aber Nicolette, mein süßes Lieb, muß bei mir sein.«
Indessen bedrängte ein feindliches Heer die Burg des Grafen, und dieser suchte Aucassin durch die Versprechung, daß er Nicolette, welche in einen Turm eingeschlossen war, sprechen und küssen dürfe, zur Teilnahme am Kampfe zu bewegen. Diese Aussicht veranlaßte auch wirklich den Jüngling, in die Schlacht zu ziehen. Glaubt aber ja nicht, daß er daran dachte, Ochsen,

Kühe oder Ziegen zu rauben oder mit einem Ritter Hiebe zu wechseln. Nein, durchaus nicht! Er war so in Gedanken an Nicolette, sein süßes Lieb, verloren, daß er ganz der Zügel vergaß und alles dessen, was er hätte tun sollen. Das Roß aber, das die Sporen gefühlt hatte, trug ihn ins Gedränge und stürzte sich mitten unter die Feinde. Diese legten Hand an ihn von allen Seiten, entrissen ihm Schwert und Lanze, führten ihn spornstreichs als Gefangenen fort und berieten sich schon, welchen Tod sie ihn sterben lassen wollten. Da aber bedachte sich Aucassin, daß er sein süßes Liebchen nicht mehr küssen könne, wenn ihm der Kopf abgeschnitten würde; er legte Hand ans Schwert, richtete um sich her ein Blutbad an und sprengte im Galopp zurück.
Nicolette fühlte sich indessen von den Nachstellungen des Grafen in ihrem Turme nicht mehr sicher und beschloß, zu fliehen. An Bettlinnen und Handtüchern ließ sie sich herab, durchquerte unter großer Mühe und Drangsal den Burggraben und flüchtete sich in den Wald.

Ohne Säumen schritt sie dann
durch den tiefen, dichten Tann
auf verwachsnem Steige fort,
bis sie kam an einen Ort,
wo sich in der Wildnis Mitten
sieben Waldespfade schnitten.
Sie hält hier am Kreuzweg inne
und gedenkt des Freundes Minne,
ob sich die so wahr erprobt,
wie sein Wort es ihr gelobt.
Und aus frischem Stechpalmgrün,
aus den Lilien, die dort blühn,
bildet sie mit schwankem Dach
ein geflochtnes Laubgemach.
Und sie schwört bei Gottes Gnade:
»Kommt mein Freund auf diesem Pfade,
ohne daß sein Herz ihm kündet,
wer dies blum'ge Haus gegründet,
und er mir die Liebe tut,
daß er hier ein Weilchen ruht,
dann ist falsch, was er verspricht,
und wir sollen länger nicht
Lieb und Liebchen heißen!«

Und wirklich traf Aucassin, als er einst auf einem Ritt durch den Wald Erholung und Zerstreuung suchte, auf Nicolettes Blumenlaube. »Ha, bei Gott«, rief er aus, »hier war Nicolette, mein süßes Lieb, und das baute sie mit ihren schönen Händen. Um ihrer Huld und Liebe willen werde ich absteigen und hier die Nacht über ruhen.«

Die Liebenden beschlossen nun, in ein anderes Land zu ziehen. Aucassin nahm die Jungfrau vor sich auf sein Roß, und sie ritten zum Gestade des Meeres, wo sie Kaufleute trafen, die sie willig in ihr Schiff aufnahmen. Doch als sie auf hoher See waren, erhob sich ein großer, gewaltiger Sturm und trieb sie von Land zu Land, bis sie an eine fremde Küste kamen. Sie liefen in den Hafen einer Burg ein und fragten, was das für ein Land sei, und man sagte ihnen, es sei das Land des Königs von Torelore. Aucassin fragte, welch ein Mann das sei und ob er Krieg führe. »Ja, einen großen Krieg.« Da nahm er Abschied von den Kauffahrern, und diese befahlen ihn Gott. Er stieg auf sein Roß, sein Schwert umgegürtet und sein Liebchen vor sich, und ritt, bis er in die Burg kam. Er fragte nach dem König, und man sagte ihm, er liege im Kindbett. »Und wo ist denn seine Frau?« Man erwiderte, sie sei auf der Heerfahrt und mit ihr alle Leute des Landes. Als Aucassin das hörte, verwunderte er sich gar sehr. Er kam in den Palast und stieg ab, sowohl er als auch sein Liebchen. Sie hielt sein Roß; er aber stieg in den Palast hinauf, das Schwert umgegürtet, und kam in das Zimmer, wo der König lag.

Aucassin war ganz allein;
in die Kammer drang er ein
und gelangte bis zur Stätte,
wo der König lag im Bette.
Er blieb stehn, als er ihn sah.
»Sag, du Narr, was machst du da?«
Nun vernehmt, was der gesprochen:
»Herr, ich liege in den Wochen!
Wenn mein Monat ist dahin
und ich ganz genesen bin,
werd' ich in die Messe gehn,
wie's von alters her geschehn.
Aber dann mit großem Schall
schlag ich meine Gegner all,
lasse nicht vom Kriege.«

Als Aucassin den König also reden hörte, nahm er alle Decken, die auf ihm lagen, und schüttelte sie auf den Boden. Er sah hinter sich einen Stock, ergriff ihn und schlug damit so auf den König los, daß er ihn fast umbrachte. »Ach, lieber Herr«, rief der König, »was wollt Ihr von mir? Seid Ihr verrückt, daß Ihr mich in meinem eigenen Hause schlagt?« »Beim Herzen Gottes«, sprach Aucassin, »armseliger Wicht, ich schlage Euch tot, wenn Ihr mir nicht gelobt, daß in Eurem Lande kein Mann mehr im Kindbett liegen soll!« Er gelobte es ihm, und als dies abgetan war, sagte Aucassin: »Herr, nun führt mich zu Eurer Frau ins Heer!« — »Gerne, Herr«, sprach der König. Er stieg auf ein Roß und Aucassin auf das seine, und Nicolette blieb in den Gemächern der Königin. Der König und Aucassin ritten zur Königin ins Feld, wo eben mit gerösteten Holzäpfeln, Eiern und frischen Käsen eine Schlacht geliefert wurde. Aucassin schaute das mit an und verwunderte sich höchlichst.

Auf dem Sattel vorgeneigt,
hält der Jungherr, staunt und schweigt.
Vor ihm wogte weit und breit
dieser Heere heißer Streit,
die mit Äpfeln, mürbgekochten
und mit frischen Käsen fochten.
Durch die Luft in hohem Bogen
große Wiesenschwämme flogen.
Wer mit Lärm am lautsten tobt,
wird als erster Held gelobt.
Aucassin, der tapfre Mann,
sah die seltne Schlacht mit an
und begann zu lachen.

Als Aucassin dieses wunderliche Schauspiel sah, ging er zum König und redete ihn an: »Herr, sind das Eure Feinde?« — »Ja, Herr!« sagte der König. »Und wollt Ihr, daß ich Euch an ihnen rächen soll?« — »Ja«, sprach jener, »gerne!« Da legte Aucassin Hand ans Schwert, stürzte sich mitten unter sie, begann nach rechts und links um sich zu hauen und tötete viele. Doch als der König sah, daß er sie totschlug, fiel er ihm in den Zügel und rief: »Ach, lieber Herr, tötet sie mir nicht so ohne weiteres!« — »Wie?« sprach Aucassin. »Wollt Ihr denn nicht, daß ich Euch räche?« — »Herr«, sprach der König, »das habt Ihr schon zuviel getan. Es ist unter uns nicht Brauch, daß wir einander totschlagen.« Die Feinde wandten sich zur Flucht, und der König kehrte mit Aucassin ins Schloß Torelore zurück.
Die Leute des Landes aber rieten dem König, Aucassin aus seinem Reiche zu jagen und Nicolette für seinen Sohn zurückzubehalten; denn sie scheine eine Frau von hohem Stande. Als Nicolette das hörte, war sie nicht sehr froh.

»Komm ich, Herr von Torelor,
Eurem Volk so närrisch vor,
daß ich solche Wünsche hätte?«
sprach die holde Nicolette.
»Wenn, von meinem Reiz beglückt,
mich mein Liebster an sich drückt,
nenn' ich alle Wonnen mein.
Ball und Tanz und Ringelreihn,
Fiedel, Geig' und Harfenspiel,
und was sonst der Welt gefiel,
gilt mir nichts dagegen.«

Aucassin lebte auf der Burg Torelore herrlich und in Freuden; denn er hatte Nicolette, sein süßes Liebchen, bei sich. Doch als er in diesen Wonnen schwamm, kam ein Schiffsheer Sarazenen übers Meer daher, lief die Burg an und nahm sie im Sturm. Sie raubten das Gut und schleppten Männer und Weiber gefangen fort. Auch Nicolette und Aucassin ergriffen sie, banden dem Jungherrn Hände und Füße und warfen ihn in ein Schiff und Nicolette in ein anderes. Da erhob sich ein Sturm über dem Meere, der sie trennte. Aucassin landete beim Schloß Beaucaire und erfuhr, daß seine Eltern, während er in Torelore war, gestorben seien. Die Bürger führten ihn in sein Schloß und huldigten ihm, und er hielt sein Land im Frieden. Das Schiff aber, darin Nicolette war, gehörte dem König von Karthago, und der war ihr Vater. Sie wurde also mit großer Freude im Sarazenenlande aufgenommen und sollte einem Heidenkönig zur Frau gegeben werden; aber sie hatte keine Lust, sich zu vermählen. Sie verlangte eine Fiedel und lernte darauf spielen, und als man sie eines Tages einem mächtigen Sarazenenfürsten vermählen wollte, schlich sie in der Nacht davon, färbte sich Haupt und Antlitz, daß sie ganz dunkel wurde, ließ sich Rock und Mantel, Hemd und Hosen machen und kleidete sich so in die Tracht eines Spielmanns. Dann nahm sie die Fiedel, ging zu einem Schiffsmann und verhandelte mit ihm, daß er sie in sein Schiff nahm. Sie hißten die Segel und fuhren durch die hohe See, bis sie nach dem Lande Provence kamen. Dort stieg Nicolette aus und wanderte fiedelnd durch das Land, bis sie zum Schloß Beaucaire kam, wo Aucassin wohnte. Sie trat vor Aucassin und sang ihm ein Lied, das von Nicolettes Abenteuern seit ihrer Trennung von ihrem Liebsten handelte. Als die Jungfrau sah, daß Aucassin sie noch liebte, salbte sie sich mit einem Pflänzlein, Schellkraut geheißen, und wurde wieder so schön, als sie je gewesen, dann ließ sie Aucassin durch die Vizegräfin, ihre Pflegemutter, benachrichtigen, daß Nicolette, sein süßes Lieb, aus fernen Landen gekommen sei, ihn aufzusuchen.

Als nun Aucassin vernommen,
daß sein Lieb ins Land gekommen,
ward er aller Sorgen bar,
fröhlich, wie er niemals war,
und in ungeduld'ger Hast
eilt er in der Frau Palast.
In die Kammer trat er ein,
und das holde Mägdelein
sprang empor mit flinken Füßen,
um ihn jubelnd zu begrüßen.
Aucassin, der sel'ge Mann,
zog mit Armen sie heran,
hielt sie zärtlich fest umfangen,

küßt ihr Augen, Mund und Wangen.
Also ließen sie's die Nacht;
aber als der Tag erwacht,
führt der Graf in stolzer Schar
die Geliebte zum Altar,
und das Kind in Glanz und Ehre
ward zur Dame von Beaucaire,
und sie lebten sonder Klage
lange wonnenreiche Tage.
Alles Glück, das sie begehrt,
war den beiden voll beschert.
Mehr zu melden weiß ich nicht:
somit endet mein Gedicht,
endet Sang und Sage.

Der blaue Vogel

Es war einmal ein König, der war sehr reich an Gut und Geld. Seine Frau aber starb, und darüber war er untröstlich. Eine ganze Woche lang schloß er sich in einer kleinen Kammer ein, wo er immerfort mit dem Kopf gegen die Wand rannte, so verzweifelt war er. Man fürchtete für sein Leben und legte Matratzen zwischen die Wandbehänge und die Mauern. Alle seine Untertanen eilten herbei, um ihm Ratschläge zu erteilen, wie er Trost finden könne. Aber nichts machte den geringsten Eindruck auf ihn; er schien gar nicht zu hören, was man sagte. Am Ende erschien eine Frau bei ihm, die war ganz und gar in schwarzen Krepp gehüllt, und so tief war sie verschleiert und so lang war die Schleppe ihres Trauergewandes und so heftig und so laut weinte und schluchzte sie, daß der König ganz betroffen war. Sie sagte, sie käme nicht, um ihn zu trösten; es wäre nur gerecht, eine gute Gattin zu beweinen; sie selbst weine um den besten aller Gatten und wolle nicht aufhören, solange sie Augen im Kopfe habe. Darauf jammerte sie nur um so lauter, und der König folgte ihrem Beispiel und begann zu schreien. Schließlich kamen sie miteinander ins Gespräch, und der König rühmte die schönen Eigenschaften seiner verstorbenen Gemahlin, und sie konnte die ihres lieben Toten gar nicht genug loben. Als die schlaue Witwe bemerkte, daß das Thema beinahe erschöpft war, lüftete sie ein wenig den Schleier, und der König in seinem Herzeleid stärkte sich beim Anblick dieser armen Trauernden, die zwei große blaue Augen unter langen schwarzen Wimpern nach allen Seiten drehte und wendete. Der König betrachtete sie aufmerksam. Immer seltener sprach er von seiner Frau und schließlich überhaupt nicht mehr. Am Ende war alle Welt höchst erstaunt, als er sie heiratete.

Der König hatte nur eine Tochter aus erster Ehe, die als das achte Wunder der Welt galt. Sie hieß Florine, weil sie so frisch, so jung und so schön war wie eine Blume. Die neue Königin hatte auch eine Tochter, die bei ihrer Patin, der Fee Sussio, erzogen worden war; aber sie war weder anmutig noch schön: sie hieß Truitonne, weil sie mit ihrem rot gesprenkelten Gesicht an eine Forelle erinnerte*.
Die Königin aber liebte ihre eigene Tochter ganz närrisch und war verzweifelt, weil Florine ihr so überlegen war. Jedes Mittel war ihr recht, um diese beim König schlecht zu machen.
Als Florine und Truitonne herangewachsen waren, wollte der König sie verheiraten. Die Königin wünschte, daß ihre Tochter die erste sei, und da der König keinen Streit mochte, willigte er ein, alles ihr zu überlassen.
Kurze Zeit später wurde der Besuch des Königs Charmant gemeldet; er war der galanteste und der schönste aller Fürsten, dessen Geist seinem Aussehen und seinem Rang nicht nachstand. Kaum hatte die Königin die Nachricht vernommen, da wurden alle Sticker, Schneider und Handwerker zusammengetrommelt, um Truitonne auszustatten. Florine aber bekam kein neues Kleid; sie mußte ihr altes Fähnchen tragen, und so groß war ihre Scham, daß sie sich in eine Ecke drückte, als der König Charmant eintrat. Kaum aber hatte er Truitonne gesehen, da wandte er sich ab und fragte, ob nicht noch eine zweite Prinzessin da sei mit Namen Florine.
»Ja«, sagte Truitonne und wies mit dem Finger auf sie, »aber sie versteckt sich, weil sie so garstig ist.«
Florine errötete, und da wurde sie so schön, so schön, daß der König Charmant wie geblendet dastand. Was die Königin auch tat, um ihn von Florine abzuwenden, es gelang ihr nicht, und der König unterhielt sich drei ganze Stunden mit ihr.
Die Königin war verzweifelt und Truitonne untröstlich. Sie bestimmten den Vater Florines, diese für die Dauer des königlichen Besuches in einen Turm einzusperren. Und so geschah es: kaum war Florine in ihr Zimmer zurückgekehrt, als vier maskierte Männer sie ergriffen und auf den Turm schleppten.
Charmant wartete mit großer Ungeduld auf ein Wiedersehen mit der Prinzessin: vergeblich. Auf Befehl der Königin sagten die Höflinge ihm sogar alles Böse über Florine, was ihnen nur einfiel: sie sei kokett, launisch und böse und schmutzig obendrein; aus Geiz kleide sie sich wie ein armes Schäfermädchen, anstatt reichgestickte Gewänder zu tragen, mit denen ihr Vater, der König, nicht geize. Aber Charmant durchschaute die Bosheit der Lästerzungen.
Indessen lag die arme Prinzessin auf dem Boden des furchtbaren

* Truite = Forelle

Turmes, wohin sie von den maskierten Männern geschleppt worden war, und weinte bitterlich. So verging die Nacht.
Charmant begab sich zum König und zu der Königin in der Hoffnung, Florine dort zu finden, aber die Königin sprach nur von den Freudenfesten, die sie zu seinen Ehren veranstalten wollte. Schließlich fragte er nach Florine.
»Herr«, sprach die Königin, »ihr Vater, der König, hat verboten, daß sie ihr Zimmer verlasse, bis meine Tochter verheiratet ist.«
Charmant aber geriet in Zorn und empfahl sich sofort der Königin. Er zog eine der Kammerfrauen der Prinzessin ins Vertrauen, und sie versprach ihm, eine Unterredung mit Florine am gleichen Abend herbeizuführen. Die Kammerfrau aber verriet der Königin alles, und diese befahl, ihre eigene Tochter ans Gartenfenster zu stellen. Die Nacht war so finster, daß der König den Betrug unmöglich merken konnte, und so sprach er zu Truitonne, wie er zu Florine sprechen wollte: er bot ihr seine Krone und sein Herz. Dann zog er seinen Ring vom Finger und steckte ihn als Pfand seiner Treue an den ihren; sie möge nur die Zeit bestimmen, um heimlich das Schloß zu verlassen. Truitonne willigte gern ein. Charmant war mit einem Zauberer befreundet; der schenkte ihm eine fliegende Kutsche, die von geflügelten Fröschen gezogen wurde. Bei Nacht schlüpfte Truitonne durch eine kleine Gartenpforte, und der König empfing sie in seinen Armen. Er hatte es eilig, die Prinzessin zu heiraten; diese wünschte, sich in das Schloß ihrer Patin, der Fee Sussio, zu begeben. Tief verschleiert betrat sie das hell erleuchtete Schloß. Während Charmant im Vorsaal des Schlosses wartete, dessen Wände aus reinem Diamant und daher durchsichtig waren, sah er Sussio und Truitonne miteinander plaudern. Er glaubte zu träumen.
»Was?« rief er. »Bin ich verraten? Haben die Dämonen diesen Feind unserer Ruhe hierhergebracht?«
Schon traten die beiden herein, und die böse Fee sprach in entschlossenem Ton:
»König Charmant, hier ist die Prinzessin Truitonne, der Ihr Euer Wort gegeben habt. Sie ist mein Patenkind, und ich wünsche, daß Ihr sie auf der Stelle heiratet.«
»Ich?« rief er. »Ich sollte dieses kleine Ungeheuer heiraten? Ich habe ihr nichts versprochen, und wenn sie etwas anderes behauptet, dann ...«
»Halt! Sprecht nicht weiter!« unterbrach ihn Sussio. »Habt nie die Kühnheit, mir ohne Respekt zu begegnen.«
Truitonne zeigte ihren Ring, und der König erkannte, daß er betrogen worden war. Schnell wollte er das Schloß verlassen, aber Sussio berührte ihn, und seine Füße hefteten sich an das Parkett, als hätte man sie angenagelt. Zwanzig Tage und zwan-

zig Nächte wurde er mit Tränen, Schluchzen und Schmeicheleien bestürmt, es wurde weder gegessen noch getrunken noch geruht. Schließlich verlor die Fee die Geduld und befahl Charmant, zwischen der Heirat mit Truitonne und einer siebenjährigen Verwünschung zu wählen. Der König, der bisher geschwiegen hatte, rief:
»Tut, was Ihr wollt, wenn ich nur von dieser abscheulichen Person befreit werde!«
Da verwandelte sich das Antlitz des Königs; seine Arme bedeckten sich mit Federn und bildeten Flügel; Beine und Füße wurden schwarz und winzig; Krallen wuchsen ihm, sein Körper schrumpfte zusammen und bedeckte sich mit zarten Federn, die waren blau wie der Himmel; seine Augen wurden rund und strahlend wie Sonnen. Er sang entzückend und konnte sogar sprechen. So verwandelt stieß er einen schmerzlichen Schrei aus und entfloh durch ein Fenster des unheilvollen Palastes.
Truitonne kehrte zu ihrer Mutter zurück, die in furchtbaren Zorn geriet, als sie erfuhr, daß ihr Plan mißlungen war. Sie rächte sich an der armen Florine, indem sie vorgab, der Fürst habe Truitonne zu seiner Gemahlin gemacht. Als Florine den Ring des Königs sah, konnte sie nicht mehr an ihrem Unglück zweifeln. Sie verlor das Bewußtsein. Als sie wieder zu sich kam, wurde ihr Schmerz so heftig, daß sie die ganze Nacht weinte.
Indessen flog der blaue Vogel unaufhörlich um das Schloß, wo er seine geliebte Prinzessin eingeschlossen wußte. Aber aus Furcht vor der bösen Königin sang er nur nachts. Dem Turmfenster gegenüber stand eine hohe Zypresse. Dort ließ der blaue Vogel sich nieder. Kaum saß er dort, da hörte er eine klagende Stimme:
»Ach, muß ich noch lange leiden«, sagte sie, »wird der Tod mich nicht bald erlösen? O grausame Königin, was tat ich dir, da du mich zur Zeugin des Glückes machst, das Truitonne mit dem König Charmant genießt!«
So klagte sie die ganze Nacht. Dem blauen Vogel entging kein Wort, aber als es Tag wurde und er sich die traurige Dame ansehen wollte, war das Fenster geschlossen. In der folgenden Nacht schien der Mond, und der blaue Vogel hörte wieder die Klagen der armen Gefangenen, und je länger er zuhörte, um so sicherer wurde es, daß die Stimme niemandem anders als seiner liebenswürdigen Prinzessin gehörte.
»Anbetungswürdige Florine!« rief er. »Eure Leiden sind nicht unheilbar.«
Und er flog an das Fenster und gab sich ihr zu erkennen. Er erzählte ihr sein Mißgeschick, wie er betrogen worden war und daß er es vorgezogen habe, sieben Jahre lang als blauer Vogel zu leben, anstatt ihr die Treue zu brechen.

Florine vergaß das Unglück ihrer Gefangenschaft, und sie schwor, dem König die gleiche Treue zu halten. Die schönsten Schmucksachen holte der blaue Vogel aus seinem Palast, in den er durch eine zerbrochene Fensterscheibe eindrang, und brachte sie Florine.
So vergingen zwei Jahre, ohne daß die Prinzessin sich auch nur ein einziges Mal über ihre Gefangenschaft beklagte. Aber die böse Königin, die vergeblich versuchte, ihre Tochter zu verheiraten, suchte Florine dafür verantwortlich zu machen. Eines Nachts stieg sie in Begleitung ihrer Tochter auf den Turm und lauschte an der Tür des Gefängnisses. Sie glaubte, zwei Stimmen zu hören, und öffnete plötzlich die Tür. Florine stand am Fenster, mit kostbaren Schmucksachen bedeckt, ihr Bett war mit Blumen bestreut, und spanische Räucherkerzen verbreiteten einen lieblichen Duft. Die beiden Weiber kannten sich vor Zorn nicht mehr, und sie beschuldigten die Prinzessin, das Land und den König an den Feind verraten zu haben. Schließlich beschloß die Königin, eine Spionin zu Florine zu lassen. Die Prinzessin wagte sich nicht mehr ans Fenster, obwohl sie den Vogel um den Turm flattern hörte. Als aber die Nacht kam und das Mädchen schlief, öffnete Florine schnell das Fenster und rief ihren blauen Vogel herbei. So ging es drei Nächte hintereinander. Aber in der vierten Nacht stellte das Mädchen sich nur schlafend, und so hörte sie das verliebte Gespräch zwischen Florine und dem blauen Vogel. Am folgenden Morgen verriet das böse Mädchen alles der Königin, die mit Truitonne beratschlagte, wie sie sich rächen könnten. Sie ließen Messer und Dolche an der Zypresse befestigen, und als Florine den blauen Vogel rief, zerschnitten ihm die scharfen Mordwaffen Füße und Flügel, und nur mit Mühe konnte er sich in einen hohlen Baum retten. Er wollte sterben, denn er glaubte nicht anders, als daß Florine ihn verraten hätte. Aber sein Freund, der Zauberer, hatte auf der Suche nach dem König schon neunmal die Runde um die Erde gemacht, seit die fliegenden Frösche ohne den König zurückgekehrt waren. Zum Glück fand er ihn in Gestalt des blauen Vogels, der in seinem Blute schwamm. Er heilte seine Wunden. Als er daß Mißgeschick des Königs hörte, riet er ihm, Florine zu vergessen.
Inzwischen verzehrte sich die arme Prinzessin vor Kummer und Sorge um ihren Geliebten. Die Königin und Truitonne aber triumphierten.
Da starb der König, Florines Vater, und das Volk vertrieb die böse Königin und ihre Tochter. Florine wurde als rechtmäßige Königin ausgerufen.
Inzwischen hatte der Zauberer, des Königs Freund, die Fee Sussio aufgesucht, die er seit fünf- oder sechshundert Jahren kannte. Aber um den blauen Vogel in seine frühere Gestalt zurück-

zuverwandeln, verlangte sie, daß der König Truitonne heirate. Charmant, der sich von Florine verraten glaubte, willigte ein, jedoch unter der Bedingung, daß die Hochzeit nicht vor Jahresfrist stattfinde. Sofort verwandelte Sussio den blauen Vogel in seine frühere Gestalt zurück, und der König war genauso schön, so liebenswürdig und geistreich wie zuvor. Der Gedanke aber, Truitonne heiraten zu müssen, ließ ihn erzittern.
Florine dachte an nichts anderes als an den König. Um ihn zu suchen, verkleidete sie sich als Bäuerin, setzte einen großen Strohhut auf, und mit einem Sack auf der Schulter machte sie sich auf den Weg. Sie wanderte Tag und Nacht. Da begegnete ihr ein altes Weib, das fragte sie:
»Was macht Ihr hier allein, schönes Mädchen?«
Und Florine erzählte ihr alles, was ihr widerfahren war. Die Alte aber tröstete sie:
»Der König, den Ihr sucht, ist kein Vogel mehr. Meine Schwester Sussio hat ihn in seine frühere Gestalt zurückverwandelt.«
Und sie schenkte ihr vier Eier, die möge sie zerbrechen, wenn sie in großer Not sei. Florine dankte ihr und wanderte acht Tage und acht Nächte, ohne zu rasten. Da gelangte sie an einen Berg, der war ganz aus Elfenbein. Tausendmal versuchte sie, ihn zu erklimmen, aber immer wieder glitt sie ab. Da erinnerte sie sich der Eier, die ihr die Fee geschenkt hatte. Sie zerbrach ein Ei, und heraus fielen goldene Widerhaken, die sie an ihren Füßen und Händen befestigte. So gelangte sie auf die Spitze des Berges. Hier begegnete sie einem neuen Hindernis: die andere Seite des Berges war ein einziger riesiger Spiegel, zwei Meilen breit und sechs Meilen hoch. Darin spiegelten sich Tausende und aber Tausende von Frauen Männern aus der ganzen Welt, denn jeder sah sich darin, nicht wie er war, sondern wie er gern sein wollte; alle Schönheitsfehler wurden unsichtbar. Als Florine auf der Spitze des Berges erschien, brachen alle Frauen und Männer in verzweifelte Schreie aus, denn sie fürchteten, ihr Spiegel könne zerbrechen. Die Königin in ihrer Not zerbrach ein zweites Ei, und heraus flogen zwei Tauben, die eine Kutsche zogen, die sofort die für Florine notwendige Größe annahm. So erreichte die Königin die Stadt, wo der König Charmant regierte. Aber was mußte sie hören? Der König sei im Begriff, Truitonne zu heiraten, und werde morgen mit ihr ins Gotteshaus gehen. Als der Morgen graute, begab sich die arme Florine, unkenntlich in ihren schmutzigen Kleidern, in das Gotteshaus und lehnte sich unweit des Thrones an eine Marmorsäule. Hinter dem König erschien Truitonne, reich gekleidet, aber zum Fürchten häßlich. Als sie die schmutzige Bäuerin erblickte, rief sie:
»Wer bist du, daß du es wagst, meinem goldenen Thron so nahe zu kommen?«
Aber Florine zog die mit Smaragden besetzten Schmuckstücke

aus dem Sack, die sie einst von dem blauen Vogel geschenkt bekommen hatte. Truitonne war entzückt und ging gleich zum König, um sie ihm zu zeigen. Dieser erbleichte, denn er erkannte den Schmuck und sagte:
»Dieser Schmuck ist mein ganzes Königreich wert.«
Truitonne setzte sich wieder auf ihren Thron wie eine Auster, die in ihre Schale zurückkehrt; sie fragte die vermeintliche Bäuerin, wieviel sie dafür haben wolle. Florine aber sprach:
»Für Geld ist mir der Schmuck nicht feil. Wenn Ihr mich aber eine Nacht in der klingenden Kammer des Königspalastes schlafen laßt, sollt Ihr ihn haben.«
»Aber gern«, lachte Truitonne, »wenn's weiter nichts ist!« Und dabei entblößte sie ihre Zähne, die länger waren als die Hauer eines Wildschweines.
Die klingende Kammer aber — so hatte einst der blaue Vogel Florine erzählt — lag unter dem königlichen Schlafgemach und war so gebaut, daß der König selbst das leiseste Wort vernehmen konnte, was darin gesprochen wurde.
Florine wurde in die Kammer geführt und seufzte die ganze Nacht:
»Grausamer Vogel, du hast mich vergessen. Du liebst meine unwürdige Rivalin, und der Schmuck, den ich aus deiner treulosen Hand empfing, hat mich nicht in dein Gedächtnis zurückgerufen, so weit bin ich daraus entfernt.«
Aber der König, der seit seiner Trennung von Florine Opium nahm, um schlafen zu können, hörte nichts. Die unglückliche Florine zerbrach das dritte Eis der Fee, und heraus kam eine kleine Kutsche aus blankem Stahl, mit Gold geschmückt; sechs grüne Mäuse zogen sie, und der Kutscher war eine rosafarbene Ratte, und auch der hanffarbene Postillion war aus der Familie der Ratten. In der Kutsche aber saßen vier entzückende Marionetten, die konnten tanzen und die graziösesten Sprünge vollführen. Als die Königin spazierenging, stellte Florine sich ihr in den Weg und ließ das reizende Gefährt vorübergaloppieren. Truitonne war außer sich vor Freude und erwarb das Spielzeug gegen eine zweite Nacht in der klingenden Kammer.
Aber Florines zärtliche Klagen verhallten wieder ungehört, und die Kammerdiener sagten zueinander:
»Diese Bäuerin muß wahnsinnig sein; was redet sie nur die ganze Nacht?«
Nun hatte Florine nur noch ein Ei; sie zerbrach es, und heraus kam eine Pastete; die bestand aus sechs Vögeln, die waren gespickt und gebraten und sehr gut zubereitet; aber dabei sangen diese Vögel wunderbar schön; sie konnten wahrsagen und verstanden mehr von der Medizin als Äskulap. Die Königin begab sich mit dieser sprechenden Pastete in das Vorzimmer der Prinzessin Truitonne.

Als sie dort wartete, trat ein Kammerdiener des Königs auf sie zu und machte ihr Vorwürfe, daß sie die ganze Nacht rede. Er sagte:
»Wenn der König keinen Schlaftrunk nähme, würdest du ihn sehr stören.«
Jetzt wunderte Florine sich nicht mehr, daß sie nicht gehört worden war.
»Ich fürchte nicht, die Ruhe des Königs zu stören. Wenn du einwilligst, ihm heute abend kein Opium zu geben, sollen diese Perlen und Diamanten dir gehören.«
Sie ließ ihn einen Blick in ihre Tasche tun, in der es von Perlen und Edelsteinen nur so blitzte. Der Kammerdiener versprach, zu tun, was sie verlangte.
Als Truitonne vorüberkam, tat Florine, als äße sie ihre Pastete.
»Was machst du denn da, Schmutzfink?« fragte sie.
»Ich esse Astrologen, Musiker und Ärzte.«
Und im gleichen Augenblick begannen alle Vögel aufs lieblichste zu singen und ihre mannigfaltigen Künste zu zeigen, so daß Truitonne sprachlos dastand. Sie wollte um jeden Preis diese Zauberpastete besitzen. Florine verlangte nichts weiter, als eine dritte Nacht in der klingenden Kammer zu verbringen.
Als es Nacht wurde, begann sie zu klagen:
»Was habe ich dir getan, grausamer König, da du deines Schwures nicht mehr gedenkst? Hast du deine Metamorphose vergessen, meine Liebe und unsere zärtlichen Gespräche?«
Sie wiederholte alles, was sie einander gesagt hatten. Der König schlief nicht, und obwohl er nicht begriff, woher die Stimme Florines kam, antwortete er:
»Ach, grausame Prinzessin, wie konntet Ihr mich unseren gemeinsamen Feinden opfern?«
So hörte jeder das Mißgeschick des andern. Da erhob sich der König, kleidete sich an und gelangte über eine Geheimtreppe in die klingende Kammer. Dort erblickte er Florine in einem weißseidenen Gewand, das sie über ihr grobes Bauernkleid geworfen hatte, und ihre schönen Haare fielen über ihre Schultern herab. Der König warf sich ihr zu Füßen und benetzte ihre Hände mit Tränen. Er glaubte vor Freude und Schmerz sterben zu müssen. In ihrem Glück fürchteten sie nur noch die Fee Sussio. Da aber trat der Zauberer, des Königs Freund, herein in Begleitung der guten Fee, die Florine die vier Zaubereier geschenkt hatte. Sie erklärten, daß Sussio ihrer vereinigten Macht gegenüber hilflos sei.
Jetzt stand der Hochzeit der Liebenden nichts mehr im Wege. Jedermann war entzückt von der Schönheit Florines. Truitonne aber, als sie hörte, was sich ereignet hatte, eilte zum König und fand dort ihre schöne Rivalin. Aber es wurde ihr keine Zeit gelassen, den Mund zu öffnen, denn der Zauberer und die

Fee verwandelten sie schnell in eine Sau*, damit sie wenigstens einen Teil ihres Namens nebst ihrem grunzenden Charakter behielt. Der König Charmant und die Königin Florine aber, glücklich, von einem so verabscheuungswürdigen Wesen befreit zu sein, dachten nur noch an ihre Hochzeit, und man kann sich denken, wie glücklich sie nach so langem Unglück waren.

Die Schöne und das Tier

Es war einmal ein Kaufmann, der war sehr sehr reich. Er hatte drei Töchter, und da er ein kluger Mann war, sparte er nicht an ihrer Erziehung und ließ sie von den besten Lehrern unterrichten.
Die drei Schwestern waren sehr schön, besonders die jüngste wurde bewundert, und man nannte sie von klein auf nur ›die Schöne‹, so daß der Name ihr blieb; dies weckte die Eifersucht der älteren.
Aber die jüngste war nicht nur schöner als ihre Schwestern, sie war auch besser als sie. Die beiden ältesten waren sehr hochmütig, weil sie reich waren; sie spielten die Damen und wollten die andern Kaufmannstöchter nicht bei sich empfangen; sie suchten nur die Gesellschaft von Edelleuten. Täglich gingen sie auf den Ball oder ins Theater; sie machten Spaziergänge und verspotteten ihre jüngste Schwester, die den größten Teil ihrer Zeit damit verbrachte, gute Bücher zu lesen.
Da der Reichtum dieser Mädchen bekannt war, hielten mehrere reiche Kaufleute um sie an; aber die beiden ältesten wollten wenigstens einen Grafen, wenn nicht gar einen Herzog heiraten. Die Schöne dankte ihren Freiern mit freundlicher Würde, sagte aber, sie sei noch zu jung und wolle ihrem Vater noch einige Jahre Gesellschaft leisten.
Plötzlich verlor der Kaufmann sein ganzes Vermögen, und alles, was ihm blieb, war ein kleines Landhaus, fern von der Stadt. Unter Tränen teilte er seinen Kindern mit, daß sie von jetzt an dort wohnen müßten, und wenn sie arbeiteten wie die Bauern, könnten sie ihr Leben verdienen. Die beiden älteren Töchter weigerten sich, die Stadt zu verlassen, denn sie glaubten nicht anders, als daß unter ihren zahlreichen Freiern mehrere sich glücklich schätzen würden, sie auch ohne Vermögen zu heiraten. Die jungen Damen aber täuschten sich: seit sie arm waren, beachteten die Freier sie überhaupt nicht mehr. Niemand konnte sie leiden, weil sie so hochmütig waren. Mit der Schönen aber hatte man Mitleid, weil sie so gut war, so sanft und so lauter. Einige Edelleute wollten sie sogar heiraten, selbst oh-

* Truie = Sau

ne Vermögen, aber sie konnte sich nicht entschließen, ihren armen Vater zu verlassen.
Die Schöne war zwar sehr niedergeschlagen, als sie ihr Vermögen verlor, aber sie sagte sich: ›Durch Tränen gewinne ich unsern früheren Besitz nicht zurück; man muß versuchen, auch ohne Geld glücklich zu sein.‹
Der Kaufmann bestellte das Feld. Die Schöne stand um vier Uhr morgens auf; sie säuberte schnell das Haus und bereitete das Frühstück für die Familie. Zuerst fiel es ihr schwer, denn sie war die grobe Arbeit nicht gewöhnt, aber nach zwei Monaten wurde sie kräftiger, und die Bewegung war ihrer Gesundheit zuträglich. Nach der Arbeit las sie, spielte Klavier oder sang beim Spinnen. Ihre Schwestern dagegen langweilten sich zu Tode; sie standen um zehn Uhr morgens auf, gingen den ganzen Tag spazieren und trauerten um ihre schönen Kleider und die Gesellschaft.
»Seht doch unsere Jüngste«, sagten sie, »sie hat eine so niedrige und stupide Seele, daß sie sich über ihre unglückliche Lage freut.«
Der gute Kaufmann aber bewunderte die Tugend seiner Jüngsten, vor allem ihre Geduld; denn ihre Schwestern, nicht genug, daß sie ihr die ganze Hausarbeit überließen, sie beschimpften sie noch obendrein, sobald sich eine Gelegenheit bot. So lebte die Familie schon ein Jahr in der Einsamkeit, als der Kaufmann einen Brief erhielt, worin ihm mitgeteilt wurde, daß ein Schiff mit Waren, die ihm gehörten, glücklich im Hafen angelangt sei. Diese Nachricht stieg den ältesten Schwestern in den Kopf, und sie glaubten, nun endlich das Land verlassen zu können, wo sie sich so sehr langweilten. Als ihr Vater reisefertig war, baten sie ihn, ihnen Kleider, Pelerinen, Kopfputz und alle möglichen Kleinigkeiten mitzubringen. Die Schöne bat ihn um nichts; denn sie dachte bei sich, daß der ganze Erlös der Waren nicht ausreichen würde, um die Wünsche der Schwestern zu befriedigen.
»Hast du denn gar keinen Wunsch?« fragte ihr Vater.
»Da Ihr die Güte habt, an mich zu denken, Vater, bitte ich Euch, mir eine Rose mitzubringen.«
Der gute Vater reiste ab, aber man machte ihm einen Prozeß wegen seiner Waren, und nach großen Unannehmlichkeiten kehrte er genauso arm zurück, wie er abgereist war.
Es waren nur noch dreißig Meilen bis zu seinem Haus, und er freute sich schon auf seine Kinder, aber in dem großen Wald, den er durchqueren mußte, verirrte er sich. Es schneite heftig, der Wind blies so stark, daß er ihn zweimal vom Pferde wehte, und als es Nacht wurde, glaubte er an Hunger oder Kälte zugrunde zu gehen, wenn nicht gar von den Wölfen gefressen zu werden, die er ringsumher heulen hörte. Plötzlich erblickte er

am Ende einer langen Baumallee ein helles Licht. Er ging in der Richtung weiter, und bald sah er ein hell erleuchtetes Schloß vor sich. Er beeilte sich, es zu erreichen, aber zu seiner Verwunderung waren die Höfe ganz leer. Sein Pferd, das ihm folgte, ging geradenwegs in einen offenstehenden Stall hinein und fand dort Heu und Hafer in Hülle und Fülle. Gierig begann das arme, verhungerte Tier zu fressen. Der Kaufmann ging ins Haus, fand aber auch dort keine Menschenseele; in einem großen Saal brannte jedoch ein lustiges Feuer, und eine mit Speisen reichbesetzte Tafel war für eine Person gedeckt. Da Regen und Schnee ihn bis auf die Haut durchnäßt hatten, trat er ans Feuer, um sich zu trocknen. Er wartete eine beträchtliche Zeit, aber da es elf Uhr geschlagen hatte, ohne daß der Herr des Hauses oder ein Diener sich zeigten, konnte er seinen Hunger nicht mehr bezähmen: er nahm ein Huhn, und zitternd verschlang er es in zwei Bissen; auch trank er einige Schlucke Wein. Dann, kühner geworden, verließ er den Saal und durchschritt mehrere große prachtvoll möblierte Räume. Schließlich fand er ein Zimmer, in dem ein gutes Bett bereitstand, und da Mitternacht vorüber war, beschloß er, die Tür abzusperren und sich schlafen zu legen.

Es war schon zehn Uhr morgens, als er aufwachte, und zu seiner Überraschung fand er an Stelle seiner alten, schmutzigen Kleider ein sauberes Gewand. Er sah aus dem Fenster: der Schnee war verschwunden und herrliche Blumenbeete breiteten sich vor ihm aus, die sein Auge entzückten.

›Sicher gehört dieses Schloß einer guten Fee‹, sagte er zu sich, ›die Mitleid mit mir hatte.‹

Er kehrte in den großen Saal zurück, wo er abends zuvor gespeist hatte, und sah ein Tischchen, auf dem Schokolade dampfte. »Ich danke Euch, gnädige Frau Fee«, sagte er laut, »daß Ihr die Güte hattet, an mein Frühstück zu denken.«

Nachdem er die Schokolade getrunken hatte, ging er hinaus, um sein Pferd aus dem Stall zu holen; da kam er an einem Rosenbeet vorüber, und es fiel ihm ein, daß die Schöne sich eine Rose gewünscht hatte, und er brach einen Rosenzweig. Im gleichen Augenblick hörte er einen furchtbaren Lärm und sah ein so schreckliches Tier auf sich zustürzen, daß er beinahe das Bewußtsein verlor.

»Undankbarer!« rief das Tier mit furchtbarer Stimme. »Ich habe Euch das Leben gerettet, indem ich Euch in meinem Schloß aufnahm, und dafür stehlt Ihr mir meine Rosen, die ich über alles in der Welt liebe! Ihr müßt sterben, um diese Schuld zu sühnen: Ihr habt eine Viertelstunde, um Gottes Erbarmen zu erflehen!«

Der Kaufmann warf sich auf die Knie, und während er die Hände faltete, sagte er zu dem Tier:

»Verzeiht mir, gnädiger Herr, ich glaubte Euch nicht zu kränken, als ich eine Rose pflückte; sie war für meine Tochter bestimmt, die sie sich gewünscht hatte.«
»Ich heiße nicht ›gnädiger Herr‹«, erwiderte das Ungeheuer, »sondern ›das Tier‹! Höflichkeiten sind mir verhaßt! Ich will, daß man sagt, was man denkt. Ihr habt Töchter, wie Ihr sagt. Ich will Euch verzeihen, wenn eine Eurer Töchter freiwillig hierherkommt, um an Eurer Stelle zu sterben. Widersprecht nicht, sondern geht und schwört mir, daß Ihr in drei Monaten zurückkehrt, wenn Eure Tochter sich weigern sollte, für Euch zu sterben.«
Der gute Mann hatte nicht die Absicht, diesem gräßlichen Ungeheuer eine seiner Töchter zu opfern, aber er dachte, so könne er sie wenigstens noch einmal umarmen.
Also schwor er, zurückzukehren, und das Tier sagte, er könne gehen; es fügte hinzu:
»Ich will nicht, daß Ihr mit leeren Händen geht; in Eurem Schlafzimmer findet Ihr eine große Truhe; Ihr könnt hineintun, was Euch gefällt, ich lasse sie in Euer Haus schaffen.«
Mit diesen Worten zog das Tier sich zurück, und der gute Mann dachte:
›Wenn ich auch sterben muß, so habe ich wenigstens den Trost, meinen armen Kindern Brot zu hinterlassen.‹
Er füllte die Truhe mit Goldstücken, verschloß sie, holte sein Pferd aus dem Stall und verließ das Schloß ebenso traurig, wie er es freudig betreten hatte. Sein Pferd fand von selbst den Weg durch den Wald, und in wenigen Stunden gelangte der Kaufmann zu seinem Häuschen. Seine Kinder umringten ihn, aber anstatt sich über ihre Liebkosungen zu freuen, brach der Vater in Tränen aus. In der Hand hielt er den Rosenzweig, den er der Schönen mitgebracht hatte; er reichte ihn ihr mit den Worten:
»Schöne, nimm diese Rosen, sie werden deinem unglücklichen Vater teuer zu stehen kommen.«
Und er erzählte seinen Kindern, welches Unglück über ihn gekommen war. Als sie das hörten, schrien die beiden Ältesten laut und beschimpften die Schöne, die nicht weinte:
»Seht nur den Hochmut dieser erbärmlichen Kreatur«, riefen sie, »konnte sie nicht um Putz bitten wie wir? Aber nein, das gnädige Fräulein wollte etwas Besonderes haben. Sie wird den Tod unseres Vaters auf dem Gewissen haben, und sie weint nicht einmal!«
»Warum sollte ich meinen Vater beweinen«, erwiderte die Schöne; »er wird nicht sterben. Da das Ungeheuer eine seiner Töchter annehmen will, werde ich mich ihm ausliefern, und ich bin glücklich, meinem Vater dadurch zu beweisen, wie zärtlich ich ihn liebe.«

Der Vater, tief gerührt von dem Edelmut der Schönen, lehnte ihr Opfer ab. Er sei alt, es bleibe ihm sowieso nur noch kurze Zeit zu leben, aber die Schöne duldete keine Widerrede und bestand darauf, sich in das Schloß des Ungeheuers zu begeben.
»Besser, das Ungeheuer frißt mich, als daß ich vor Kummer um Euren Verlust sterbe«, sagte sie.
Als die Schöne mit ihrem Vater das Haus verließ, rieben sich die beiden bösen Schwestern die Augen mit Zwiebeln ein, um zu weinen, und auch der Kaufmann weinte; die Schöne aber weinte nicht, weil sie seinen Schmerz nicht noch verschlimmern wollte. Gegen Abend sahen sie das erleuchtete Schloß vor sich. Das Pferd ging von allein in den Stall, und der Kaufmann trat mit seiner Tochter in den großen Saal, wo sie eine prachtvoll gedeckte Tafel für zwei Personen vorfanden. Der Vater hatte nicht das Herz, zu essen, aber die Schöne, die sich bemühte, ruhig zu erscheinen, setzte sich zu Tisch und bediente sich.
Als sie gegessen hatten, hörten sie einen furchtbaren Lärm, und weinend verabschiedete sich der Vater von seiner Tochter, denn er dachte, das Tier käme, um sie zu fressen. Die Schöne erzitterte beim Anblick dieses furchtbaren Hauptes, aber sie nahm sich zusammen, so gut sie konnte, und als das Ungeheuer sie fragte, ob sie freiwillig gekommen sei, antwortete sie zitternd: »Ja.«
»Ihr habt ein gutes Herz«, sagte das Tier, »und ich bin Euch sehr dankbar. Ihr, guter Mann, reist morgen früh heim, und laßt es Euch nicht einfallen, je wiederzukommen. Lebt wohl, Schöne!«
»Lebt wohl, Tier«, erwiderte sie. Und das Ungeheuer zog sich zurück.
»Ach, liebe Tochter«, rief der Kaufmann, indem er die Schöne umarmte, »ich bin halb tot vor Entsetzen. Glaube mir, ich bin es, der hierbleiben muß.«
»Nein, lieber Vater«, sagte die Schöne entschlossen. »Ihr kehrt morgen früh heim und überlaßt mich meiner Bestimmung.«
Sie legten sich zu Bett in der Meinung, die ganze Nacht nicht zu schlafen, aber kaum lagen sie, als ihnen die Augen zufielen. Im Schlaf sah die Schöne eine Dame, die sprach zu ihr:
»Ich freue mich über dein gutes Herz; daß du dein Leben für das deines Vaters geben willst, soll nicht unbelohnt bleiben.«
Am Morgen erzählte die Schöne ihrem Vater diesen Traum, und obwohl er ihn ein wenig tröstete, schluchzte er dennoch herzzerbrechend, als er sich von seiner Tochter verabschieden mußte.
Als er fort war, setzte sich die Schöne in den großen Saal und begann auch zu weinen; aber da sie sehr mutig war, beschloß sie, die kurze Zeit, die ihr zu leben blieb, nicht zu vertrauern, denn sie war fest überzeugt, daß das Tier sie am Abend fressen würde. Sie beschloß, inzwischen das schöne Schloß zu besichtigen.

Sie konnte nicht umhin, dessen Schönheit zu bewundern. Aber sie war höchst erstaunt, eine Tür zu finden, auf der geschrieben stand: »Wohnung der Schönen«. Schnell öffnete sie die Tür und war geblendet von der Pracht, die dort herrschte; was sie aber am meisten verwunderte, war eine große Bibliothek, ein Klavier und mehrere Notenbücher.

›Wenn ich hier nur einen Tag leben sollte, hätte man mir nicht so viele Bücher hingestellt. Ich soll mich nicht langweilen‹, dachte sie und faßte neuen Mut. Sie öffnete ein Buch; darin stand in goldenen Buchstaben geschrieben:

»Wünscht und befehlt! Ihr seid hier die Königin und die Herrin!«

»Ach«, seufzte sie, »ich wünsche ja nichts weiter, als meinen Vater zu sehen und zu wissen, was er jetzt tut.«

Da fiel ihr Blick auf einen großen Spiegel, und zu ihrer höchsten Überraschung sah sie ihr Haus, wo ihr Vater gerade mit äußerst bekümmerter Miene ankam. Ihre Schwestern kamen ihm entgegengelaufen, und trotz der Gesichter, die sie schnitten, um traurig zu erscheinen, konnten sie ihre Freude über den Verlust ihrer Schwester nicht verbergen. Einen Augenblick später war alles verschwunden, und die Schöne konnte nicht umhin, das Tier sehr gefällig zu finden; und es kam ihr der Gedanke, daß sie nichts von ihm zu fürchten brauche. Mittags fand sie den Tisch gedeckt und hörte schöne Musik, obgleich sie keine Menschenseele sah.

Abends, als sie sich zu Tisch setzen wollte, hörte sie das Geräusch des Tieres und erzitterte.

»Schöne«, sagte das Ungeheuer, »darf ich Euch beim Essen zuschauen?«

»Ihr seid hier der Herr«, erwiderte die Schöne zitternd.

»Nein«, erwiderte das Tier, »hier gibt es nur eine Herrin, und die seid Ihr. Ihr braucht mir nur zu sagen, wenn ich Euch belästige, dann gehe ich sofort. Sagt, findet Ihr mich sehr häßlich?«

»Es ist wahr«, sagte die Schöne, »denn ich kann nicht lügen, aber ich glaube, Ihr seid sehr gut.«

»Ihr habt recht«, sagte das Tier, »aber abgesehen von meiner Häßlichkeit, ich bin nicht klug; ich weiß wohl, daß ich nur ein Tier bin.«

»Man ist nicht dumm, wenn man glaubt, nicht klug zu sein. Ein Dummkopf kann so etwas gar nicht denken«, erwiderte die Schöne.

»Eßt nur, Schöne«, sagte das Ungeheuer, »und versucht, Euch nicht zu sehr in Eurem Haus zu langweilen, denn alles hier gehört Euch, und es würde mir Kummer bereiten, wenn Ihr unzufrieden wäret.«

»Ihr seid sehr gütig«, sagte die Schöne. »Ich gestehe, daß Euer

gutes Herz mir Freude bereitet, und wenn ich das bedenke, dann scheint Ihr mir gar nicht so häßlich.«
»O ja, Dame!« antwortete das Tier. »Ich habe ein gutes Herz, aber ich bin ein Ungeheuer.«
»Es gibt viele Menschen, die schlimmere Ungeheuer sind als Ihr, und ich habe Euch lieber mit Eurer Gestalt als jene, die hinter einem menschlichen Antlitz ein falsches, verlogenes, undankbares Herz verbergen.«
»Hätte ich Geist, würde ich Euch mit einem schönen Kompliment danken; aber ich bin dumm, und alles, was ich sagen kann, ist, daß ich Euch sehr dankbar bin.«
Die Schöne aß mit gutem Appetit. Sie fürchtete sich fast gar nicht mehr vor dem Tier, aber sie wäre beinahe vor Entsetzen gestorben, als es fragte:
»Schöne, wollt Ihr meine Frau werden?«
Zuerst antwortete sie nicht: sie fürchtete, den Zorn des Ungeheuers herauszufordern, wenn sie ablehnte; dennoch sagte sie zitternd:
»Nein, Tier.«
Das arme Ungeheuer wollte seufzen, aber das verursachte ein so entsetzliches Geheul, daß der ganze Palast davon dröhnte. Bald aber beruhigte sich die Schöne wieder, denn das Tier hatte traurig gesagt:
»Dann lebt wohl, Schöne.«
Und es verließ den Saal, nicht ohne sich von Zeit zu Zeit umzuwenden, um die Schöne noch einmal zu betrachten.
›Ach‹, dachte diese, von Mitleid für das Tier erfüllt, ›wie schade, daß es so häßlich ist, es hat ein so gutes Herz.‹
Die Schöne verbrachte drei ruhige Monate in diesem Schloß. Jeden Abend kam das Tier, um ihr beim Essen Gesellschaft zu leisten; es unterhielt sich sehr verständig, ohne jedoch das zu zeigen, was man in der Gesellschaft »Geist« nennt. Täglich entdeckte die Schöne neue gute Eigenschaften an ihm. Sie hatte sich an seine Häßlichkeit gewöhnt und sah sogar oft mit Ungeduld auf die Uhr, ob es nicht bald neun sei; denn das Tier hielt diese Stunde immer pünktlich ein. Nur eins bekümmerte die Schöne: daß das Untier, bevor es sich verabschiedete, jedesmal fragte, ob sie seine Frau werden wolle, und es so schmerzvoll empfand, wenn sie »Nein« antwortete. Eines Tages sagte sie:
»Tier, Ihr macht mir Kummer. Ich wünschte, ich könnte Euch heiraten, aber es ist mir unmöglich, vorzugeben, daß dies je geschehen wird. Jedoch bleibe ich immer Eure Freundin; versucht, Euch damit abzufinden.«
»Versprecht mir, mich nie zu verlassen«, erwiderte das Tier.
Die Schöne errötete bei diesen Worten; sie hatte in ihrem Spiegel gesehen, daß ihr Vater vor Kummer über ihren Verlust erkrankt war, und sie wünschte, ihn wiederzusehen.

»Ich würde Euch dies gern versprechen, aber ich sehne mich so sehr nach meinem Vater, daß ich vor Schmerz sterben würde, wenn Ihr mir diese Freude verwehren wolltet.«
»Lieber will ich selbst sterben, als Euch Kummer bereiten; kehrt zu Eurem Vater zurück, Ihr werdet nie wiederkommen, und Euer armes Tier wird vor Schmerz sterben.«
»Nein«, sagte die Schöne weinend, »ich liebe Euch zu sehr, um die Ursache Eures Todes zu werden. Ich verspreche Euch, in acht Tagen zurückzukehren. Meine Schwestern sind verheiratet; mein Vater ist allein. Erlaubt, daß ich eine Woche bei ihm bleibe.«
»Morgen früh sollt Ihr bei ihm sein«, sagte das Tier. »Aber gedenket Eures Versprechens. Wenn Ihr zurückkehren wollt, braucht Ihr beim Schlafengehen nur Euren Ring auf einen Tisch zu legen. Lebt wohl, Schöne.«
Das Tier seufzte bei diesen Worten wie immer, und die Schöne legte sich ganz traurig schlafen, weil sie ihm weh getan hatte.
Als sie erwachte, befand sie sich in ihres Vaters Haus und läutete eine Glocke, die neben ihrem Bett stand. Die Magd trat herein und stieß bei ihrem Anblick einen lauten Schrei aus. Der Vater lief herbei und wäre beinahe vor Freude gestorben, als er seine Tochter wiedersah. Da fiel der Schönen ein, daß sie keine Kleider bei sich hatte, aber die Magd sagte ihr, im Nebenzimmer stehe eine große Truhe voll goldgestickter und reich mit Diamanten geschmückter Kleider. Die hatte ihr das gute Tier geschickt. Als die Schwestern von dem Besuch der Schönen hörten, eilten sie schnell mit ihren Gatten herbei. Die Älteste hatte einen jungen Edelmann geheiratet, zum Entzücken schön, aber er war so verliebt in sein eigenes Gesicht, daß er sich von morgens bis abends nur damit beschäftigte und die Schönheit seiner Frau übersah. Die zweite hatte einen sehr geistreichen Mann geheiratet, aber er bediente sich seines Geistes nur, um alle Welt rasend zu machen, seine Frau einbegriffen.
Die Schwestern starben beinahe vor Ärger, als sie die Schöne in so herrlichen Kleidern sahen. Ihre Eifersucht wurde noch schlimmer, als die Schöne ihnen erzählte, wie glücklich sie sei.
»Schwester«, sagte die älteste zu der zweiten, »mir fällt etwas ein: versuchen wir, die Schöne länger als acht Tage hier zurückzuhalten. Ihr dummes Tier wird sie vielleicht vor Zorn fressen, weil sie nicht Wort gehalten hat.«
Und sie taten ihr alles zuliebe, worüber die Schöne Freudentränen vergoß. Als die acht Tage vorüber waren, rauften sich die Schwestern die Haare und heuchelten eine solche Verzweiflung, daß die Schöne versprach, noch acht Tage länger zu bleiben.
Jedoch machte sie sich Vorwürfe, ihrem armen Tier Kummer zu bereiten, denn sie liebte es von ganzem Herzen; auch vermißte

sie es sehr. In der zehnten Nacht, die sie bei ihrem Vater verbrachte, sah sie im Traum das Tier im Garten seines Schlosses; es lag auf dem Rasen im Sterben. Erschrocken fuhr die Schöne aus dem Schlaf und weinte heiße Tränen.
»Wie bin ich doch böse, das Tier zu betrüben, das mir nur Gutes getan hat«, sagte sie. »Nein, ich will es nicht unglücklich machen.«
Bei diesen Worten legte die Schöne ihren Ring auf den Tisch und legte sich nieder. Als sie am Morgen erwachte, sah sie zu ihrer Freude, daß sie sich im Palast des Tieres befand. Sie kleidete sich in prächtige Gewänder, um ihm zu gefallen, und langweilte sich den ganzen Tag zu Tode in Erwartung der neunten Abendstunde; aber die Uhr schlug neun, und das Tier zeigte sich nicht. Da fürchtete die Schöne, seinen Tod verursacht zu haben. Laut rufend lief sie durch das Schloß; sie war ganz verzweifelt. Da sie es nicht fand, erinnerte sie sich ihres Traumes; sie lief in den Garten. Dort lag das arme Tier bewußtlos ausgestreckt; sie glaubte, es sei tot. Sie warf sich an seine Brust, ohne sich vor seinem Antlitz zu entsetzen, und da sie sein Herz noch schlagen fühlte, schöpfte sie Wasser aus dem Kanal und goß es ihm über den Kopf. Das Tier schlug die Augen auf und sagte:
»Ihr habt Euer Versprechen nicht gehalten. Aus Kummer über Euern Verlust wollte ich den Hungertod leiden, aber ich sterbe zufrieden, da ich die Freude habe, Euch noch einmal zu sehen.«
»Nein, mein liebes Tier, Ihr dürft nicht sterben«, sagte die Schöne; »Ihr sollt leben, um mein Gatte zu werden. Hier meine Hand: ich schwöre, daß ich nur Euch gehören werde. Ach! Ich glaubte, nur Freundschaft für Euch zu empfinden, aber mein Schmerz zeigt mir, daß ich ohne Euch nicht leben kann.«
Kaum hatte die Schöne diese Worte gesprochen, als das Schloß in hellem Licht erstrahlte; Feuerwerk, Musik: alles deutete auf ein Fest. Aber diese ganze Pracht konnte sie nicht fesseln; sie wandte sich ihrem lieben Tier zu, denn die Gefahr, in der es schwebte, ließ sie erzittern. Wie groß aber war ihre Überraschung! Das Tier war verschwunden, und zu ihren Füßen lag ein Prinz, schöner als Amor, der ihr dankte, den Zauber gebrochen zu haben.
»Eine böse Fee hatte mich in ein Tier verwandelt, bis ein schönes Mädchen einwilligte, mich zu heiraten. Ihr allein auf der Welt wart gütig genug, Euch von meiner Güte rühren zu lassen. Nehmt aus Dankbarkeit meine Krone!«
Zusammen gingen sie ins Schloß, wo sie die schöne Dame fanden, die der Schönen im Traum erschienen war.
»Schöne«, sagte die Dame, die eine große Fee war, »empfangt den Lohn für Eure gute Wahl: Ihr habt der Schönheit und dem Geist die Tugend vorgezogen; Ihr verdient, alle diese Eigenschaften in einer Person vereint zu finden. Ihr werdet eine große

Königin werden. Euer Herz aber, meine Damen«, sagte die Fee zu den Schwestern der Schönen, »kenne ich und die ganze Bosheit, die es einschließt. Werdet zwei Statuen, aber bewahrt euern Verstand unter dem Stein. Erst dann könnt ihr in eure frühere Gestalt zurückkehren, wenn ihr eure Fehler einseht; aber ich fürchte, ihr werdet immer Statuen bleiben. Hochmut, Zorn, Genußsucht und Faulheit lassen sich bessern, aber ein böses und neidisches Herz zu verwandeln wäre ein Wunder.«
Der Prinz heiratete die Schöne, und sie lebten lange Jahre miteinander. Ihr Glück aber war vollkommen, denn es war auf die Tugend gegründet.

Halbhähnchen

Es war einmal ein Mann, der hatte zwei kleine Söhne. Eines Tages gab er jedem ein halbes Ei. Der eine hat seine Hälfte gekocht und dann gegessen; aber der andere hütete die seine sorgfältig und machte es sich zur Pflicht, sie auszubrüten. Nach geraumer Zeit kam ein halbes Hähnchen heraus, das fraß viel Korn und wurde bald sehr stark.
Eines Tages, als Halbhähnchen auf einem Misthaufen herumkratzte, fand es eine Börse mit hundert Talern.
»Leih mir diese hundert Taler«, sagte da ein Mann, der gerade vorüberging. »Ich bin der Pächter von Grand-Herlin, in acht Tagen bekommst du sie zurück.«
»Einverstanden«, erwiderte Halbhähnchen.
Und es gab ihm die hundert Taler. Acht Tage vergingen, vierzehn Tage vergingen, das Geld war immer noch nicht zurückgezahlt.
Schließlich wurde Halbhähnchen ungeduldig wegen der großen Verspätung und beschloß, hinzugehen und das Geld zurückzufordern. Also machte es sich auf den Weg. Unterwegs begegnete ihm ein Wolf.
»Wohin des Wegs, Halbhähnchen?«
»Ich gehe zum Pächter von Grand-Herlin, um meine hundert Taler zurückzufordern, die ich ihm geliehen habe. Komm doch mit.«
»Einverstanden.«
»Dann krieche nur in meinen Hintern.«
Etwas weiter begegnete ihm ein Fuchs.
»Wohin des Wegs, Halbhähnchen?«
»Ich gehe zum Pächter von Grand-Herlin, um meine hundert Taler zurückzufordern, die ich ihm geliehen habe. Komm doch mit.«
»Einverstanden.«

»Dann krieche nur in meinen Hintern.«
Wieder etwas weiter begegnete ihm ein Bach.
»Wohin des Wegs, Halbhähnchen?«
»Ich gehe zum Pächter von Grand-Herlin, um meine hundert Taler zurückzufordern, die ich ihm geliehen habe. Komm doch mit.«
»Einverstanden.«
»Dann krieche nur in meinen Hintern.«
Und noch ein wenig weiter begegnete ihm ein Bienenschwarm.
»Wohin des Wegs, Halbhähnchen?«
»Ich gehe zum Pächter von Grand-Herlin, um meine hundert Taler zurückzufordern, die ich ihm geliehen habe. Kommt doch mit.«
»Einverstanden.«
»Dann kriecht nur in meinen Hintern.«
Trotz seiner schweren Bürde kam Halbhähnchen bald auf den Meierhof von Grand-Herlin.
»Guten Tag, Pächter«, sagte es zum Hausherrn, »ich möchte meine hundert Taler abholen, die du mir schon vor mehr als acht Tagen zurückzahlen wolltest.«
»Ich habe sie heute nicht, aber wenn du in meinem Hühnerstall übernachten willst, gebe ich sie dir morgen.«
»Einverstanden.«
Aber der Hühnerstall war voll von Truthähnen, die machten Miene, sich auf Halbhähnchen zu stürzen, um es totzumachen. Dieses verlor jedoch nicht den Kopf und rief:
»Fuchs, Fuchs, aus dem Hintern heraus! Sonst ist es mit dem Halbhähnchen aus!«
Sofort sprang der Fuchs heraus, erwürgte alle Truthähne bis auf einige, die er in den Wald mitnahm.
»Sperrt Halbhähnchen in den Schweinestall«, sagte der Pächter am folgenden Morgen, als er seinen Gläubiger lebendig vor sich sah.
Gesagt, getan. Die dicken Säue gingen gleich zum Angriff vor und wollten Halbhähnchen verschlingen. Da rief es schnell:
»Wolf, Wolf, aus dem Hintern heraus! Sonst ist es mit dem Halbhähnchen aus!«
Im Handumdrehen hatte der Wolf den dicken Säuen den Garaus gemacht und so viele nur in seinen Bauch hineingingen gefressen. Als der Pächter die Stalltür öffnete, traute er seinen Augen nicht. Seine Säue tot und Halbhähnchen lebendig. Er wurde sehr zornig und ließ Halbhähnchen in den Backofen werfen, der gerade zum Brotbacken geheizt worden war. Aber das schlaue Halbhähnchen rief sofort: »Bach, Bach, aus dem Hintern heraus! Sonst ist es mit dem Halbhähnchen aus!«
Und der Bach brauchte nicht lange, um das Feuer zu löschen und den Backofen zu überschwemmen.

Da nahm der wütende Pächter ein großes Messer, das war neu geschliffen, und wollte dem armen Halbhähnchen die Kehle durchschneiden. Aber da rief es schnell:
»Ihr Bienen, ihr Bienen, aus dem Hintern heraus! Sonst ist es mit dem Halbhähnchen aus!«
Und da kamen alle Bienen heraus und fingen an zu summen: Bsss! Bsss! und schwirrten um den Kopf des Pächters. Sie stachen ihn überall, wo es hintraf, und dermaßen sehr (sic), daß er daran starb. Da nahm Halbhähnchen seine Börse wieder an sich und brachte sie seinem Herrn. Fortan lebten sie immer sehr glücklich.

Der Bauer Tholomé und der Teufel

Zwischen Warloy und Contay, unweit von Mont-Failly, gab es einst einen Bauernhof; dort lebte ein Mann namens Tholomé mit seiner Familie. Der Hof gedieh zu Anfang ganz prächtig, aber seit der alte Vater Tholomé gestorben war, schien das Unglück in Person sich im Hause niedergelassen zu haben. Eine schlechte Ernte folgte auf die andere, eine Viehkrankheit wurde von einer noch schrecklicheren abgelöst, der Herr wurde immer geldgieriger, die Frau und die Kinder waren erkrankt, und am Ende befand sich Tholomé ohne die geringsten Mittel. Was tun? Er wußte es wirklich nicht; wie sehr er sich auch von morgens bis abends den Kopf zerbrach, es fiel ihm nichts ein, was ihn aus dieser elenden Lage erlöst hätte.
Um das Unglück voll zu machen, brach am Abend des gleichen Tages, als sein letztes Pferd eingegangen war, Feuer im Hof aus, das die Scheunen und Ställe zerstörte; übrig blieben nur der Hühnerstall, die Hundehütte und ein Teil des Hauses. Diesmal konnte das Mißgeschick des armen Bauern nicht mehr übertroffen werden. Er war verloren, unrettbar verloren.
Am folgenden Morgen, als er jammernd am Rande des Bois-Brûlé auf und nieder ging, rief er, gewiß ohne sich etwas dabei zu denken:
»Nur der Teufel könnte mich aus dieser bösen Lage retten!«
Kaum hatte er diese Worte gesprochen, als ein kleines Männchen, höchstens drei bis vier Zoll groß, auf die Schulter des verdutzten Tholomé sprang und bald hierhin, bald dorthin hüpfte.
Der Bauer bemerkte belustigt, daß es ein hübsches Teufelchen war, heiter, aufgeweckt, federleicht, und was besonders auffiel, es trug ein schönes grünes Gewand mit feinen Goldfransen. Auf seinem Hut, der keck auf dem kleinen Köpfchen saß, wehte eine lange Pfauenfeder.
»He, he! Tholomé, die Geschäfte geh'n schlecht, wie ich sehe!

Auf deinen Feldern wächst nur Unkraut, dein Vieh ist tot, deine Frau ist krank, und das Feuer hat den größten Teil deines Hofes zerstört! ... Du weißt nicht, was tun, und da hast du mich gerufen. Nun, hier bin ich. Reden wir offen miteinander. Womit kann ich dir dienen?«
Tholomé teilte dem Teufel seine Wünsche mit.
»Gut, lieber Tholomé, du sollst einen schönen Hof haben, große Scheunen voller Korn und Heu, Arbeitstiere und Weiden in entsprechender Menge, die Gesundheit soll wieder bei dir einkehren, du brauchst nur zu wollen.«
»Ob ich will! Verdammt noch mal!«
»Alles, was ich sagte, soll dein sein, sobald heute nacht der Hahn auf deinem Hof kräht; aber wenn ich meiner Verpflichtung nachkomme, dann ...«
»Na, und?«
»Mußt du mir dafür die Seele deines ältesten Sohnes geben.«
»Die Seele meines ältesten Sohnes?«
»Ja.«
»Das schlag dir nur aus dem Kopf.«
»Wie du willst. Nichts für nichts, das ist meine Devise. Gibst du mir, geb' ich dir.«
Tholomé überlegte einen Augenblick. Er sagte sich, es sei schrecklich, dem Dämon die Seele seines Sohnes auszuliefern, andererseits aber stellte er sich das Glück eines neuen Hofes vor, und so schlug er ein.
»Ich bin einverstanden«, sagte er zu dem grünen Männchen, »jedoch unter der Bedingung, daß alles fix und fertig ist, sobald der Hahn kräht. Sonst behalte ich den Hof, und du bekommst nichts.«
»Ja, abgemacht. Unterzeichne.«
Und der Dämon zog ein riesiges Pergament aus seiner Tasche, in das zehn Teufel seiner Größe hätten eingewickelt werden können. Er faltete es auseinander, dann holte er aus seiner Tasche eine zugespitzte Gänsefeder, einen Tisch und ein Federmesser, mit dem er dem Bauern einen Stich in den Arm versetzte. Ein Blutstropfen sickerte hervor; der Dämon tauchte die Feder hinein und reichte sie dem Mann, damit er das schreckliche Schriftstück unterzeichne. Tholomé setzte seinen Namen neben eine Unmenge anderer Namen.
Dann machte das Männchen einen Luftsprung, steckte das Pergament, das Federmesser, den Tisch und die Gänsefeder wieder in die Tasche und verschwand im Gebüsch, fröhlich rufend:
»Ha, ha! Hu, hu! Wieder ein guter Tag für Dick und Don.«
Tholomé ging bis zum Abend spazieren. Als er nach Hause kam, sah der Bauer Tausende von Teufeln, die trugen Steine, Mörtel, Kalk, Sand, schlugen alte Mauern nieder, hoben den Boden aus, schmiedeten, zimmerten mit unglaublicher Geschwin-

digkeit und höllischem Lärm, während andere kleine Dämonen die Arbeit mit Hunderten von Fackeln beleuchteten. Die Frau und die Kinder waren wieder gesund, aber höchst erstaunt über diesen Betrieb; sie fragten sich, was denn das für eine Arbeiterschar sei, die sich plötzlich eingefunden hatte, um den Hof wieder aufzubauen.
Der Bauer erzählte seiner Frau, was sich zwischen ihm und dem Teufel am Bois-Robert ereignet hatte, und bat sie um Rat.
»Unglückseliger, was hast du getan?« rief sie. »Deinen Sohn dem Teufel auszuliefern! Bist du selber ein Teufel?«
»Nein, aber ich habe auf dich gerechnet, um den Teufel zu überlisten und uns in Ehren aus der Affäre zu ziehen.«
Die Frau dachte einen Augenblick nach.
»Du sagst, der Teufel müsse vor dem ersten Hahnenschrei die Arbeit beendet haben? Gut. Der liebe Gott soll die Frau nicht umsonst aus einem Schlangenfuß geschaffen haben. Ich werde beides retten, den Hof und die Seele meines Sohnes.«
Die Teufel hatten Befehl, die Arbeit vor fünf Uhr morgens zu beenden, zur Stunde des ersten Hahnenschreies. Darauf baute die Bäuerin ihren Plan.
Gegen vier Uhr morgens stand sie auf und ging leise in den Hühnerstall. Die Arbeit war beinahe beendet. Die Bäuerin ging hinein und weckte den Hahn, der prompt einige Kikerikiii! Kikerikiii! herausschmetterte.
Der Teufel Dick und Don war überlistet. Er floh mitsamt den übrigen Dämonen und ließ die Außenmauer unvollendet, an der noch einige Steine fehlten. Ein schöner Bauernhof stand an der Stelle des alten. Die Scheunen barsten von Korn und Heu; in den Ställen standen schöne Pferde und fette Kühe, und ein großer Sack mit Goldstücken befand sich im Schrank.
Der Bauer Tholomé lebte von jetzt an reich und glücklich; Dick und Don aber sah er nie wieder, denn, einmal betrogen, hielt dieser es nicht für wünschenswert, die Bekanntschaft mit jemandem aufzufrischen, der ihn überlistet hatte.

Der Schlauberger

Ein sehr schlauer Bauer wollte sich eines Tages als Diener in einem Schloß verdingen. Er bat den Torwart, ihn dem Schloßherrn vorzustellen. Der Torwart erklärte sich dazu bereit, aber zuerst wollte er seinen Namen wissen.
»Warum wollt Ihr meinen Namen wissen?«
»Weil ich alle Leute im Schloß kennen muß.«
»Ihr werdet mich auch so erkennen.«
»Ich sage dir, daß ich wissen muß, wie du heißt.«

»Ich hätte Euch schon meinen Namen genannt, aber ... er ist allzu lächerlich. Da Ihr's durchaus wissen wollt, ich heiße Ich-selbst.«
Der Torwart stellte ihn also dem Schloßherrn vor.
»Was willst du?« fragte ihn dieser.
»Als Kammerdiener bei Euch arbeiten.«
»Gut. Du bekommst zwanzig Taler im Jahr, dazu die Kleidung. Übrigens wie heißt du?«
»Ich wage nicht, es zu sagen. Mein Name ist so komisch.«
»Das macht nichts.«
»Nun denn, ich heiße: Haltet-mich-hinten-fest.«
Der Schloßherr schickte seinen neuen Kammerdiener zu seiner Frau und seiner Tochter, um nach ihren Befehlen zu fragen.
»Wie heißt du?« fragte die Dame.
»Madame, mein Name ist sehr häßlich, aber da Ihr ihn wissen wollt, ich heiße Der-Mond.«
Das junge Fräulein stellte ihm die gleiche Frage, und der Diener antwortete, er heiße Die-Sauce.
Als er mit der Magd allein war, fragte ihn auch diese nach seinem Namen, und er antwortete, er heiße Der-Kater.
Als es Abend geworden war, wurde der Diener beauftragt, bei Tisch zu bedienen. In einer der Schüsseln war eine Sauce, von der das junge Mädchen trotz aller Vorhaltungen seiner Eltern mehrmals nahm. Nach dem Abendessen gingen der Herr, seine Frau und seine Tochter schlafen. Der Diener hatte durch den Duft der Speisen, die er seiner Herrschaft aufgetragen hatte, Appetit bekommen, und so wollte er sich eine gute Mahlzeit gönnen. Er setzte sich zu der Magd in die Küche, in der Hoffnung, daß sie hinausgehen würde, damit er eine Hammelkeule oder ein Huhn erwischen könne. Aber die Magd merkte es, und da sie ihn mehrmals ermuntert hatte, schlafen zu gehen, ohne daß er Miene machte, der Aufforderung nachzukommen, ging sie ins Zimmer ihres Herrn, der schon im Bett lag, und weckte ihn.
»Was ist los?«
»Der-Kater will am Herd sitzen bleiben.«
»Du dummes Ding, so laß ihn doch sitzen!« sagte der Herr, denn er dachte, der Kater sei gemeint.
Die Magd ging schlafen, und der Diener speiste ausgiebig.
›Ein paar Kirschen als Nachspeise würden mir wohl gefallen‹, dachte er. Und er kletterte auf einen hohen Kirschbaum, der vor dem Schlafzimmer stand.
Die Dame schlief nicht. Als sie den Diener im Kirschbaum sah, weckte sie ihren Mann.
»Zum Teufel! Was ist schon wieder los?«
»Der-Mond ist auf dem Kirschbaum.«
»Gut, gut! Laß mich schlafen.«

Und der Herr schlief wieder ein.
Der Diener war noch nicht zufrieden. Leise stieg er ins Zimmer der jungen Dame hinauf und legte sich zu ihr ins Bett.
»Mama! Mama!«
»Was ist los, liebe Tochter?«
»Die-Sauce, Die-Sauce belästigt mich!«
»Da kann ich dir nicht helfen. Ich hatte es dir ja gesagt. Möge es dir eine Lehre sein.« Diesmal schlief die Dame ein.
Am Morgen kleidete sich der Diener an und stieg leise die Treppen hinunter, um sich aus dem Staube zu machen. Aber das junge Fräulein sagte es ihrem Vater, der sich an die Verfolgung des Burschen machte.
Der Diener lief über den Hof, um zu entwischen, und der Herr rief:
»Packt ihn! Haltet-mich-hinten-fest! Packt ihn! Haltet-mich-hinten-fest!«
Die andern Diener ergriffen ihren Herrn am Rockschwanz, denn sie glaubten nicht anders, als daß er ihnen befehle, ihn hinten festzuhalten. Das machte ihn nur noch wütender.
Der Torwart wollte den Diener packen, aber dieser warf ihn in einen Graben und lief in den Wald.
Der Schloßherr kam an den Graben.
»Wer hat dich da hineingeworfen?«
»Ich-selbst war's! Ich-selbst war's!«
»Was beklagst du dich dann!« rief der Herr.
Derweil war der Diener verschwunden, und der Herr hörte nie wieder von ihm.

Wie Dummhans Jacqueline heiratete

Dummhans liebte Jacqueline, die Tochter eines Bauern aus dem benachbarten Dorfe. Dummhans war also sehr glücklich, werdet ihr sagen. Aber nein, er war nicht glücklich, und ihr sollt wissen, warum: Jacqueline war reich, und Dummhans war arm. Eines Tages packte indessen Dummhans seine Courage mit zwei Händen, zog seine besten Kleider an und begab sich in das Dorf seiner Liebsten, um den Bauern um die Hand seiner Tochter zu bitten. Es geschah, wie er es sich hätte denken können, wenn er vor dem Fortgehen ein wenig überlegt hätte: die Bitte wurde abgeschlagen. Der Bauer sagte nicht eins noch zwei, sondern nahm ihn bei den Schultern, drehte ihn auf den Fersen herum und ließ ihn die Treppe schneller herabsteigen, als er hinaufgekommen war. Stellt euch die Verlegenheit des armen Verliebten vor. Man muß gestehen, daß er sehr zu beklagen war: vom hübschesten Mädchen der Gemeinde geliebt zu werden und sich von einem Papa, der nicht den kleinen Finger seiner Tochter wert ist, vor die Türe gesetzt zu sehen, ist nicht erfreulich. Und namentlich: was sollten die Burschen des Dorfes sagen, wenn sie erfuhren, auf welch lächerliche Art und Weise der unselige Dummhans hinauskomplimentiert worden war? Was sollten die jungen Mädchen sagen, die alle auf Jacqueline neidisch waren? Gewiß, er durfte künftig nicht wagen, sich auf der kleinsten Festlichkeit, Tanzunterhaltung oder Kirchweih sehen zu lassen.

Dummhans sagte sich das alles, als er mit langem Gesicht heimkehrte. Bald konnte er sich nicht mehr halten und fing an zu weinen wie ein Kalb. »Hihihihi« machte er den ganzen Weg entlang. Ich habe gesagt, er heulte wie ein Kalb, und ich wiederhole es, denn wenn er anders geweint hätte, so hätte ihn der Schäfer, der mindestens zweihundert Meter von dort entfernt war, sicher nicht hören können; und doch wurde dieser, der gerade ganz gemütlich in seiner kleinen Hütte auf dem Felde schnarchte, plötzlich davon aufgeweckt und erhob sich, um zu sehen, was es gäbe. Er bemerkte Dummhans. ›Nun, nun, was ist denn dem Dummhans passiert? Ich habe ihn nie so traurig gesehen! Er ist ein braver Bursch, und ich will versuchen, ihn zu trösten und ihm zu helfen.‹ Und der Schäfer trat zu Dummhans und schlug ihn auf die Schulter. »Was ist? Wer heißt dich so heulen?« — »Hihihi.« — »Genug hihihi! Warum weinst du so?« — »Hihihi, ich habe Thomas um die Hand seiner Tochter gebeten, aber zum Unglück . . . hihihi . . .« — »Hat er dich heimgeschickt, wie ich sehe, deiner Armut wegen.« — »Hihihi, ja!« — »Gut, mein Junge, deshalb brauchst du nicht so untröstlich zu sein. Fasse Mut! Hier ist etwas, womit du den Widerstand deines zukünftigen Schwiegervaters brechen kannst. Nimm dieses Päckchen mit rotem Pulver und tu, was ich dir sage.« Der Schäfer überreichte Dummhans das kleine Beutelchen und gab ihm seine Instruktion. Dummhans kehrte ins Dorf zurück, stopfte seine Pfeife und trat in das Haus des Bauern Thomas. Jacqueline war allein in der Küche. »Ich möchte meine Pfeife anzünden. Gestattest du, Jacqueline?« — »Ob ich es gestatte? Warum nicht? Was gedenkst du wegen unserer Heirat zu tun, Hans?« — »Das kümmert mich gar nicht. Und du brauchst dich auch nicht darum zu sorgen. In Kürze, Jacqueline, werde ich das Einverständnis deiner Familie haben!« — »Wie das?« — »Das tut nichts zur Sache! Du sollst es später erfahren. Ich zünde meine Pfeife an und gehe!« Dummhans trat zum Herd, zündete seine Pfeife an und warf eine Handvoll Pulver in das Feuer, dann verließ er Jacqueline.

Diese war einen Augenblick in den Garten gegangen und fand bei ihrer Rückkehr das Feuer zu dreiviertel erloschen. Sie wollte es anblasen und hielt ihren Mund über die Kohlen, da begann sie mit einem Male »Putputput« zu machen und konnte nicht wieder aufhören. Ganz erschrocken eilte sie zu ihrer Mutter. »Mama, Mama, putputput, ich weiß nicht, putput, was ich habe, put, aber, put, seit einem Augenblick, put, mache ich nichts mehr als putputputputput.« Die Bäuerin ließ sich, so gut es gehen wollte, von ihrer Tochter erzählen, was ihr zugestoßen sei. »Das kann nicht das Feuer sein, was dich so putputput machen läßt. Es ist sicher etwas anderes. Du wirst sehen, daß mir so etwas nicht passiert, wenn ich es anblase.« Die Mutter trat zum Herd, und als sie reden wollte, merkte sie, daß sie »putput« machte wie ihre Tochter. Ihr könnt euch denken, daß die Bäuerin sehr ärgerlich war, und da sie ihr Mißgeschick ihrem Gatten nicht zu erzählen wagte, gab sie ihm, als er vom Felde heimkehrte, durch Zeichen zu verstehen, er solle das Feuer anzünden. Aber es ging ihm ebenso wie seiner Frau und seiner Tochter Jacqueline, und niemand sprach mehr ein Wort ohne die zwangsweise Begleitung von endlosem putputput. »Man sollte glauben, putput«, sagte Thomas, »daß, putput, der Teufel, put, gekommen ist, putput, um in unserem Herd, put, zu logieren. Ich werde sogleich, putput, den Herrn Pfarrer, put, ersuchen, daß er, putput, herkommt und den Teufel austreibt.« Und hier reihte der Bauer, ganz außer Atem von der langen Rede, fünfzehn bis zwanzig putput aneinander. Er suchte den Pfarrer auf, der aber gar keinen Wert darauf legte, den Teufel aus einem Herd, den er zu seinem Wohnsitz auserkoren hatte, auszuquartieren. Er kam recht widerwillig mit einem Chorknaben, der den Wedel und das Weihwasser trug. Man trat in das Haus des Bauern, und nach einem guten Schluck Apfelwein machte sich der Pfarrer daran, die geforderten Gebete zu sprechen. Alles ging gut bis zu dem Augenblick, wo der Pfarrer dazu überging, in den Herd zu blasen, um dem Dämon den Rückzug zu befehlen. Das Pulver wirkte nun: »Do –, putputput, – minus, putput, – us – us, putput, vobis –, putputput, vobis – . . . vobiscum, putput!« – »Et cum, putput, spiritu, putputput, spiritu, put, tuo, putputput!« fügten Thomas, seine Frau und Jacqueline hinzu. Der Pfarrer sah ein, daß es kein Mittel gab, den Zauber weichen zu machen; er verabschiedete sich vom Bauern und ging, nicht ohne zuvor einige weitere Glas Apfelwein getrunken zu haben; ohne Zweifel nur deshalb, um die putput hinunterzuspülen.

Der Pfarrer ging wieder in sein Dorf. Auf dem Wege traf er den Schäfer. »Guten Tag, Herr Pfarrer! Ihr scheint heute sehr betrübt zu sein, wenn ich mich nicht täusche.« – »Sprich nicht davon, putputputput! Seit einer Stunde, putputput, bin ich in den Krallen des Teufels, der, putputput, mich jeden Augenblick putputput sagen läßt.« – »Laßt, sehen, Herr Pfarrer, es gibt ein Mittel, Euch zu heilen! Ich kenne die Ursache von all dem und

weiß, daß die Familie Thomas von dem gleichen Übel befallen ist. Ich allein kann Euch nicht helfen; aber mit Hilfe des Dummhans aus Eurem Dorfe wäre ich imstande, Euch und zugleich den Bauern Thomas, seine Frau und seine Tochter Jacqueline von dem Ungemach, an dem Ihr leidet, zu erlösen.« — »Oh, was ist zu tun? putputput. Ich bin zu allem bereit, mein Leben, putputputput, ist unerträglich, es wäre mir, putputput, unmöglich, putput, die kleinste Predigt zu halten.« — »Wir fordern wenig von Euch. Dummhans soll Jacqueline heiraten, und wir werden Euch heilen!« — »Wenn es weiter nichts ist, putputput, so bin ich einverstanden, putput! Ich will Thomas dazu veranlassen, putputputput!«
Der Pfarrer tat, wie er gesagt hatte, und bestimmte Thomas dazu, seine Tochter Dummhans zur Frau zu geben. Von diesem Augenblick an ließ der alte Schäfer die Verhexung aufhören, und alles war geheilt. Acht Tage später heiratete Dummhans seine Jacqueline, und der Pfarrer und der Schäfer waren bei der Hochzeit . . . Aber ich kann mein Märchen nicht zu Ende erzählen . . . der Hahn krähte, und es wurde Tag.

Klein-Dummerjan

Es war einmal eine gebrechliche Witwe mit ihrem Sohn, der war dick, stark und gesund, aber er hatte nicht viel Witz; das konnte man schon an dem Spitznamen erraten, den seine Kameraden ihm gegeben hatten: sie nannten ihn nie anders als Klein-Dummerjan. Er war ein Tropf und ein Dummkopf, aber das hinderte ihn nicht, heranzuwachsen, und so kam er ins heiratsfähige Alter.
Eines Tages sagte seine Mutter zu ihm:
»Bald, mein Junge, wirst du fünfundzwanzig Jahre alt. Du mußt dich nach einer Schwiegertochter für mich umschauen, die mir die Hausarbeit macht, denn du bist unfähig dazu, und ich werde von Tag zu Tag gebrechlicher. Du brauchst eine Frau.«
»Aber wie soll ich mir denn eine verschaffen?«
»Hör zu: heute kommen Näherinnen zu den Nachbarsleuten. Da wird mit ihnen gescherzt, man tritt ihnen auf die Füße, man kneift sie und neckt sie, um sich beliebt zu machen.«
Also ging Klein-Dummerjan zu den Nachbarsleuten.
»Guten Tag, alle miteinander.«
»Guten Tag, Jungchen, guten Tag. Komm nur und setz dich zu uns.«
Denn man muß wissen, daß die Mädchen Klein-Dummerjan gern zum Narren hielten. Sie versäumten keine Gelegenheit,

ihn zu necken und ihm alberne Streiche zu spielen; auch schäkerten sie ganz gern mit ihm. Das war gewiß nicht gefährlich, und niemand dachte sich etwas dabei.
Klein-Dummerjan setzte sich neben die hübscheste: er kneift sie, drückt sie und arbeitet mit Händen und Füßen, wobei er fortwährend laut lacht. Aber dem armen Mädchen verging die Lust zu lachen, und es war nicht sehr stolz, den Flegel eingeladen zu haben, der ihre Füße so heftig bearbeitete, daß er ihr beinahe die Zehen zerquetschte. Er kniff sie so sehr, daß ihre Arme blaue Flecken und Beulen bekamen.
»Aber so benimm dich doch, du Dummkopf; benimm dich doch, du Flegel! Wirst du mich wohl loslassen, du Rohling!«
Aber er trieb es nur noch schlimmer und machte ‚Kihihihi'. Da gab das Mädchen ihm eine tüchtige Ohrfeige, und da sie ihn immer noch nicht loswerden konnte, zerkratzte sie ihn gehörig. Der Blödian merkte schließlich, daß dies kein Spaß war; er ging ganz verdutzt nach Hause, um der Mutter von seinem Mißgeschick zu erzählen.
»Ach! Ich sehe schon, daß du dich nicht richtig benommen hast! Deine Finger sind nicht zart, dein Fuß nicht leicht genug, um ein Mädchen zu streicheln, und du treibst es zu arg. Besser, du hättest dich mit Augenwerfen begnügt.«
»Augenwerfen! Was ist denn das?«
»Du bist ein Dummkopf! Siehst du, mit Augenwerfen fängt man die jungen Mädchen; aber du bist so einfältig, daß man nicht mit dir reden kann, du verdienst gar nicht, daß man dir etwas erklärt.«
Und mit barschen Worten schickte sie ihn fort, denn sie war böse, ihn so unverständig zu finden. Aber Klein-Dummerjan hatte an der hübschen Näherin Gefallen gefunden; er wollte sie durchaus haben und überlegte, wie man es anstellen müsse, um sich durch Augenwerfen beliebt zu machen. Nun war es gerade Zeit, die Lämmer hinauszulassen, und er ging in den Schafstall; denn er war es, der die Schafe hütete: zu etwas anderem war er nicht zu gebrauchen.
»Da fällt mir etwas ein«, sagte er zu sich, »ich brauche ja nur meinen Lämmern die Augen auszureißen, und dann gehe ich hin und werfe sie meiner Näherin zu: das muß es doch sein, dieses ›Augenwerfen‹. Mit solchen Würfen werde ich sie gewiß für mich gewinnen.«
Gesagt, getan. Klein-Dummerjan tötet sechs Lämmer, stopft sich beide Taschen mit Augen voll und öffnet ganz leise die Tür zum Nachbarhaus. Er steckt die Nase hinein, aber niemand bittet ihn, einzutreten.
»Guten Tag, alle miteinander! Schön guten Tag!«
Keine Antwort.
»So, so, ihr Schönen, ihr spielt die Stolzen, aber ich werde euch

bald gefügig machen. Dann lauft ihr mir nach, und ich sehe euch nicht an, höchstens vielleicht meine kleine Näherin.«
Alle sahen ihn aus großen Augen erstaunt an. Da zieht er aus seiner Tasche etwas, was aussieht wie rot-weiß-gelbe Kügelchen, und die wirft er ihnen ins Gesicht.
»Willst du dich wohl benehmen, du dummer Hund, und nicht die Hemden beschmutzen, an denen wir nähen!«
Er aber warf und warf die Kügelchen, als mache es ihm Spaß, so daß die Mädchen hinter den Schrank flüchteten. Schließlich wurde der Hausherr böse; er nahm den Besenstiel und streichelte Klein-Dummerjans Rückgrat heftig damit.
Dieser lief ganz zerbleut zu seiner Mutter und jammerte:
»Ihr laßt mich immer alles falsch machen, alles! Ich kann die Mädchen noch so sehr kneifen, ihnen Lämmeraugen zuwerfen, sie mögen mich trotzdem nicht.«
Als die Alte hörte, was geschehen war, nahm sie einen dicken Knüppel und gab ihrem Dummhans, anstatt ihn zu trösten, eine ordentliche Tracht Prügel.
»Da hast du deinen Lohn! Das wird dich lehren, meine Lämmer umzubringen, du Unglücksbursche!«
Dummerjan rettete sich auf den Heuboden und schmollte den ganzen Tag; aber als der Hunger sich meldete, mußte er doch zu seiner Mutter zurück; diese verzieh ihm und nahm ihn wieder auf; denn sie brauchten einander, um ihren Lebensunterhalt zu verdienen.
»Deine Dummheit macht uns viele Scherereien, Junge; aber was geschehen ist, ist geschehen: sprechen wir nicht mehr davon. Wir wollen wenigstens versuchen, das Fleisch unserer armen Lämmer so gut wie möglich zu verwerten. Du wirst die Tiere auf dem Handkarren in die Stadt bringen, um sie zu verkaufen, und den Erlös sehr sorgfältig in dieser Börse verwahren. Damit kaufen wir dann eine neue Herde. Das Geld darf also nicht angerührt werden. Aber da ich einen Kochtopf und zwei Dutzend Nadeln brauche, wirst du auch dieses Masthühnchen verkaufen und den Erlös für diese Einkäufe verwenden. Jetzt merke dir genau: du verkaufst die Lämmer nicht billiger als einen Taler pro Kopf und das Huhn nicht billiger als zwölf Sous.«
»Ja, verflixt! Ich werde es bestimmt nicht vergessen!«
Und um es zu behalten, wiederholte er den ganzen Weg entlang:
»Einen Taler das Schaf, zwölf Sous das Huhn!«
Aber da durchkreuzte ein Bächlein die Straße, und er unterbrach seinen Vers einen Augenblick, um Atem zu schöpfen und zu sehen, wie er den Karren gut durch die Furt brachte. Er war beim Wort »Taler« steckengeblieben, und als er auf der andern Seite war, fuhr er fort:
»Das Lamm zwölf Sous, das Huhn einen Taler.«

Und so weiter. In der Stadt angelangt, sprach ihn ein Händler an und fragte:
»Was brummelst du denn da, mein Freund?«
»Das Lamm zwölf Sous, das Huhn einen Taler.«
»Ich nehme die sechs Lämmer. Das Huhn dagegen ist nicht mein Geschäft; das verkaufst du am besten an irgendeinen Geflügelhändler.«
Er zählte sechsmal zwölf Sous ab, und Klein-Dummerjan steckte das Geld sorgfältig in seine Lederbörse. Aber wie laut er auch rief: »Einen Taler das Huhn!«, so wollte es doch keiner zu diesem Preis. Man bot ihm höchstens vierzehn bis fünfzehn Sous. Er schwankte, ob er es verkaufen solle, denn er gedachte der Ermahnungen seiner Mutter. Schließlich aber sagte er sich, daß dies wohl der normale Preis sein müsse, da niemand ihm mehr bot.
»Ich bin wirklich zu einfältig«, sagte er sich, »mich so streng an die Worte der Alten zu halten: jedermann weiß, daß ein Huhn weniger wert ist als ein Lamm, und doch bietet man mir einen höheren Preis. Fünfzehn Sous sind mehr als zwölf. Ich würde mir ja ein gutes Geschäft entgehen lassen. Das wäre zu dumm.«
Also nahm er fünfzehn Sous für das Huhn und kaufte zwei Dutzend Nadeln und einen Kochtopf. Die Nadeln steckte er in seine Westentasche, und den Kochtopf stellte er auf seinen Karren. Aber der Topf rollte von einer Seite auf die andere, so daß Klein-Dummerjan Angst hatte, er könne zerbrechen. Tatsächlich kippte der Karren in einer Wagenspur um, und der Schock war so heftig, daß der Henkel des Topfes gegen die Latten schlug und zerbrach.
»Kannst du denn nicht ruhig bleiben?« rief er zornig. »Nun, da du so zappelig bist, werde ich dir Gelegenheit geben, dich müde zu machen. Du hast drei Füße; ich habe nur zwei. Du kannst genauso gut laufen wie ich, ja, noch besser!«
Und so stellte er den Topf mitten auf die Straße und ging weiter. Bald kam ein Heuwagen daher, dessen eines Rad über den Topf fuhr, so daß er in tausend Scherben zerbrach. Als der Wagen Klein-Dummerjan eingeholt hatte, lief dieser hinter ihm her, damit ihn die andern Wagen, denen er begegnete, nicht belästigten. Während er so seines Weges ging, spürte er die Nadeln, die ihn durch das Futter seiner Weste stachen. Er ließ es einmal geschehen, er ließ es zweimal geschehen, aber das dritte Mal, als die Nadelspitzen ihm ins Fleisch drangen, nahm er die zwei Dutzend Nadeln und warf sie in das Heu mit der Absicht, sie wieder an sich zu nehmen, sobald das Heu abgeladen würde. Wie man sich denken kann, fand er sie in einer solchen Menge Heu nicht wieder. So kam er mit leeren Händen nach Hause.

Seine Mutter war nicht gerade erfreut, als er mit ihr abrechnete. Aber was tun? Das gescheiteste war noch, Geduld zu üben und zu versuchen, die Dummheiten des Blödians so gut es ging wieder einzurenken.

»Was du uns vom Markt zurückbringst, reicht höchstens für ein Lamm. Um die nötige Summe für eine Herde zusammenzubringen, müssen wir noch mein großes Stück Leinwand verkaufen, das ich für dich aufgehoben hatte, um Bettücher daraus zu machen und dir zu helfen, einen Hausstand zu gründen. Aber das hilft ja nun nichts. Da du durch deine Dummheiten alles verloren hast, mußt du verzichten. Die Leinwand wird verkauft. Nur, da du dich schon durch all das Geschwätz der Leute hast hereinlegen lassen, so hüte dich vor Leuten, die zuviel schwatzen. Damit aber meine armselige Leinwand leichter Absatz findet, wollen wir sie bleichen, und du wirst die Gelegenheit benutzen, um unsere gesamte Schmutzwäsche zu waschen. Ich kann dir nicht dabei helfen, ich bin zu krank. Aber geh nur durchs ganze Haus, und was du schwarz und schmutzig findest, steckst du in die Waschbütte.«

Klein-Dummerjan versprach, nichts zu vergessen. Er begann damit, Kessel und Kochtöpfe in die Lauge zu werfen, da sie schwarz waren wie Ruß. Dann sah er nach, ob die Bettücher seiner Mutter noch sauber seien.

»Ja, wirklich, sie sind noch ganz weiß. Aber die arme Alte ist nicht sehr weiß. Ich muß sie ein wenig durchwaschen, das wird sie vielleicht verjüngen.«

Er nahm die gute Frau, die gerade schlief, und wollte sie in die Lauge stecken. Aber sie wachte auf, wehrte sich und zwang den Dummkopf, sie loszulassen.

»Was machst du denn da, du alberner Tropf?«

»Ich sagte mir, Mutter, du sähest ganz so aus, als müssest du mal ein wenig durchgewaschen werden.«

»Ach, du Unglücksmensch! Willst du mich denn verbrühen und ersäufen? Laß diese Arbeit! Du bist dazu genauso unfähig wie zu allem andern. Du hast mehr Talent, mir zu schaden als zu helfen. Nimm die Tür in die Hand und geh schlafen.«

Er ließ es sich nicht zweimal sagen, sondern machte sich schnellstens davon und schloß die Tür so fest, daß sie ihm in den Händen blieb. Er behielt sie, da er glaubte, seine Mutter habe es ihm befohlen, und nahm sie mit auf seinen Heuboden, wo er sich hinlegte und einschlief.

Zwei Diebe, die aus der Stadt zurückkehrten, wo sie ihre Diebsware verkauft hatten, kamen im Laufe der Nacht dort vorbei. Als sie ein Haus ohne Tür sahen, glaubten sie, hier biete sich eine Gelegenheit, einen guten Fang zu machen. Also gingen sie hinein unter dem Vorwand, ihre Pfeifen anzuzünden; aber da sie nur eine alte, gebrechliche Frau fanden, setzten sie ihren

Geldsack ab, um die Hände frei zu haben, und machten sich daran, das Haus auszuräumen. Zuerst kam die Wäsche dran, die Klein-Dummerjan mitten ins Zimmer geworfen hatte.
Der eine stand auf der Türschwelle und packte die Sachen zusammen, während der andere die Stücke suchte und zusammenlegte. Dieser aber stolperte über die Kochkessel und fiel, so lang er war, zu Boden, was großen Lärm verursachte. Er brauchte einige Zeit, um sich wieder zurechtzufinden. Indessen wurde der andere ungeduldig, da ihm nichts mehr gereicht wurde, und sagte zu seinem Kumpan:
»Wirf's zu mir! Wirf's zu mir!«
Klein-Dummerjan war von dem Lärm der übereinanderpolternden Kochtöpfe aufgewacht und steckte die Nase aus der Bodenluke, um zu sehen, was da los sei. Aber da er noch halb im Schlaf war, verstand er nicht genau die Worte des Diebes, und so glaubte er zu hören:
»Wirf die Tür! Wirf die Tür!«
»Da hast du die Tür, da du sie durchaus haben willst!«
Und er warf sie von oben hinunter. Das Gepolter, das dadurch verursacht wurde, erschreckte die Diebe so sehr, daß sie schleunigst die Flucht ergriffen, ohne sich Zeit zu lassen, ihren Geldsack mitzunehmen, und noch weniger, das Bündel mit der gestohlenen Wäsche zusammenzubinden.
Klein-Dummerjan ging hinunter, nahm alles an sich und versteckte es auf dem Heuboden. Dann ging er in die Stadt, um die Leinwand zu verkaufen, ohne daß seine Mutter zuvor mit ihm gesprochen hätte, denn die arme Frau verkroch sich unter der Bettdecke in der Meinung, die Diebe seien noch da. Sie wagte nicht »Piep« zu sagen aus Furcht, ermordet zu werden.
Klein-Dummerjan fand viele Interessenten, denn die Leinwand war fein, und jeder wollte sie kaufen. Aber jedesmal, wenn man ihn nach dem Preis fragte, antwortete er:
»Was geht's dich an? Du kriegst sie nicht. Du redest zuviel.«
So konnte er noch so viel Umschau halten, er wurde seine Ware nicht los, da er sie nur dem verkaufen wollte, der nicht handelte.
Schließlich wurde er müde vom vielen Umhergehen, und so trat er in eine Kirche, um sein Gebet zu sprechen und sich ein wenig auszuruhen. Da sah er, daß der Heilige, vor dem er während der ganzen Zeit, seit er dort war, kniete, nicht ein einziges Mal den Mund geöffnet hatte, und sprach zu ihm:
»Du wenigstens redest nicht; darum sollst du meine Leinwand haben.«
Er legte sie also in die Nische und wartete einen Augenblick auf die Bezahlung. Aber die Gipsstatue machte nicht die geringste Bewegung, um in die Tasche zu greifen.
»Du läßt dir Zeit, aber ich habe es eilig. Ich habe noch nicht

gefrühstückt, und dabei ist es gleich Mittag«, rief Klein-Dummerjan. »Ich gebe dir noch fünf Minuten, und wenn du diese Frist verstreichen läßt, ohne mich zu bezahlen, dann werden wir sehen.«
Fünf Minuten gingen vorüber und eine sechste noch dazu; die siebente begann, als der Verkäufer, am Ende seiner Geduld, einen Stuhl ergriff und den Heiligen in tausend Stücke schlug. Aber ausgerechnet befand sich in dem hohlen Sockel ein Schatz. Als Klein-Dummerjan die Louis klingen hörte, sammelte er sie auf und füllte seine beiden Taschen damit. Dann kehrte er ruhig zu seiner Mutter zurück, legte den Sack mit den Talern der Diebe auf den Tisch, und rundherum häufte er die hübschen kleinen Goldstücke auf.
»Mutter, hier ist genug, um uns neue Lämmer zu kaufen.«
»Und auch genug, um eine junge hübsche Frau zu finden. Es ist wahr, mein lieber Junge, daß du nicht das Pulver erfunden hast, aber schließlich wirst du auch so fertig. Gottlob, jetzt haben wir genug zu beißen!«

Die Froschfee

Eine arme Witwe lebte allein mit ihrem Sohn in einer elenden Hütte am Rande eines großes Waldes. Die arme Frau hätte ihren Sohn gern in die Schule geschickt mit den andern Kindern seines Alters, aber ihre Not gestattete es ihr nicht, und sie war gezwungen, ihr Kind jeden Tag, den Gott geschaffen hatte, durch Gestrüpp und Dickicht in den Wald zu schicken, um Holz zu sammeln. Das Holz, das Wilhelm, so hieß der Knabe, heimbrachte, wurde in zwei Teile geteilt: die größeren Stücke wurden an die reichen Dorfleute verkauft, und die kleinen Zweige und Reiser blieben zu Hause, um im Sommer die Suppe zu kochen und im Winter die Hütte zu heizen.
Eines Tages war der kleine Junge wieder in den Wald gegangen. Eine Menge totes Holz war gesammelt, und er hatte schon ein beträchtliches Bündel beisammen, als er plötzlich kurze durchdringende Schreie hörte, die von dem nahe gelegenen Pfad kamen.
»Was mag das sein?« fragte sich Wilhelm. »Ist da vielleicht ein armes Tier in Gefahr?«
Und schnell lief er hin. Ein riesiger Fuchs hatte ein hübsches Laubfröschchen gepackt und wollte es gerade verspeisen, als Wilhelm erschien. Das mutige Kind trat dem Fuchs entgegen und zwang ihn, das grüne Fröschchen loszulassen.
»O das hübsche Tier!« rief das Kind. »Ich werde es nach Hause mitnehmen.«

Vorsichtig hob Wilhelm den Frosch auf und steckte ihn in seine Tasche. Mit seinem Bündel auf dem Kopf kam er nach Hause.
»Mutter, sieh nur den schönen Laubfrosch, den ich im Walde gefunden habe. Ich werde ihn in ein großes Gefäß mit Wasser setzen, wenn du es mir erlaubst.«
»Was willst du mit diesem Frosch, Wilhelm? Du findest überall Frösche im Walde.«
»Das ist wahr, aber sie sind nicht wie dieser Frosch.«
Und der kleine Junge erzählte, wie er diesen Laubfrosch gerettet hatte.
»Dann laß ihn hier, aber sorge gut für ihn, denn es wäre nicht recht, ihn hierzubehalten und ihn sterben zu lassen.«
Von diesem Tage an kehrte der Wohlstand ins Haus der Witwe zurück; sie fand eine volle Börse in ihrer Truhe, ohne daß es sich aufklärte, wer sie dort hingelegt hatte. Dann fiel ihr eine Erbschaft zu, so daß die gute Frau ihren Sohn in die Dorfschule schicken konnte und danach in die Stadtschule. Und bald wurde der Jüngling so gelehrt, so gelehrt, daß er, als er durch ganz Deutschland und durch ganz Frankreich reiste, niemandem begegnete, der imstande gewesen wäre, es in bezug auf Wissen mit ihm aufzunehmen. Ihr könnt euch denken, wie glücklich seine Mutter war, und oft sagte sie zu ihren Dorfnachbarinnen:
»Der Laubfrosch, den mein Sohn im Walde gefunden hat, muß wohl die Ursache all des Glückes sein, das uns begegnet.«
Dafür liebte sie auch das Laubfröschchen, und sie pflegte es aufs sorgfältigste.
Eines schönen Tages kehrte der junge Gelehrte von seiner Reise zurück. Nachdem er seine Mutter umarmt hatte, wollte er den grünen Laubfrosch sehen.
»Liebes Tierchen«, sprach er zu ihm, »ich danke dir für alles, was du für meine Mutter und für mich getan hast. Du sollst mit uns speisen und den Ehrenplatz bei Tisch einnehmen.«
Das Laubfröschchen begann zu springen und zu tanzen, als hätte es Wilhelms Rede verstanden.
Dann, als das Essen aufgetragen war, kam es aus seinem Unterschlupf heraus und setzte sich auf den Sessel, der ihm bestimmt war.
Da aber verwandelte sich plötzlich der Laubfrosch in ein junges Mädchen von großer Schönheit; das hatte große blaue Augen und lange blonde Haare, die auf seinen Schultern wehten. Niemals hatte der junge Gelehrte soviel Schönheit bei einem irdischen Wesen vereinigt gesehen. Nach kurzem Schweigen sprach das liebenswürdige Geschöpf zu ihm:
»Ich bin eine Waldfee. Du warst mir schon oft aufgefallen, wenn du im Gestrüpp und im Dickicht tote Zweige suchtest, und ich bewunderte deinen Mut und deinen Arbeitseifer. Ich wünschte dir Gutes, und darum hatte ich die Gestalt eines Laubfrosches

angenommen, um dein Herz zu erproben. Du hast die Prüfung gut bestanden, und du bist alles dessen würdig, was ich für dich und deine Mutter getan habe; denn ich hatte die Börse in die Truhe gelegt, und auch ich hatte das Geld geschickt, das als Erbschaft eines verstorbenen Verwandten ausgezahlt wurde; ich war es auch, die dir Klugheit und wissenschaftlichen Geist schenkte. Jetzt möchte ich dich etwas fragen: ich liebe dich, willst du mich heiraten?«
»Schöne Fee, gewiß möchte ich dich gern zur Frau, aber wir haben unser kleines Vermögen für meinen Unterricht und für meine Reisen ausgegeben, und es bleibt uns fast nichts mehr. Ich möchte nicht, daß du Not leidest.«
»Ist es nur das, was dich zurückhält? Dann ... sieh meine Macht!«
Und die Fee ergriff eine Handvoll Bohnen, die dort in einem Sack standen, und verwandelte sie in schöne blanke Goldstücke.
So entschloß sich der junge Gelehrte, und acht Tage später wurde die Hochzeit in der Kirche des Nachbardorfes gefeiert.
Wie groß aber war seine Verwunderung, als er bei der Rückkehr von der Messe an Stelle der Hütte, die er am Morgen verlassen hatte, ein wunderbares Schloß sah. Wieder war es die Fee, seine Frau, die durch ihre Macht in so kurzer Zeit den herrlichen Palast errichtet hatte, wo sie seither mit ihrem Gatten viele Jahre lang glücklich lebte.

Jage deine Hühner aus meinem Hirsefeld

Es war einmal ein alter Mann, der hatte drei Töchter. Sie arbeiteten alle drei als Mägde für Tagelohn; ihr Vater sah sie nur abends. So verbrachte er einen großen Teil seiner Zeit allein. In der schönen Jahreszeit saß er vor der Haustür; im Winter blieb er am Kamin, um sich von seinem arbeitsreichen Leben auszuruhen.
Eines Tages, als er auf der Türschwelle saß, weckte ihn eine laute Stimme aus dem Halbschlaf. Er hob den Kopf und erkannte sogleich, daß er es mit dem Teufel zu tun hatte.
»Jage deine Hühner aus meinem Hirsefeld«, rief dieser mit drohender Stimme; »gibst du mir nicht eine deiner Töchter, dann fresse ich dich.«
Nachdem er dies gesagt hatte, ging er fort.
An diesem Abend kam die älteste Tochter zuerst nach Hause. Der alte Vater erzählte ihr von dem Besuch und was der Teufel verlangte.
Sie antwortete ihm:
»Er soll lieber dich fessen als mich.«

Der arme Mann war so bekümmert, daß er nicht wagte, seine andern Töchter zu fragen. Am folgenden Tag, als er wieder auf der Türschwelle saß, kam der Teufel zurück, und wieder sagte er:
»Jage deine Hühner aus meinem Hirsefeld; gibst du mir nicht eine deiner Töchter, dann fresse ich dich!«
Nachdem er dies gesagt hatte, ging er fort.
An diesem Abend kam die zweite seiner Töchter zuerst nach Hause. Ihr Vater erzählte ihr von dem Besuch und was der Teufel verlangte. Sie antwortete ihm:
»Er soll lieber dich fressen als mich.«
Der arme Mann war so bekümmert, daß er nicht wagte, seine letzte Tochter zu fragen.
Am folgenden Tag, als er wieder auf der Türschwelle saß, kam der Teufel zurück; diesmal war er außer sich.
»Jage deine Hühner aus meinem Hirsefeld; gibst du mir nicht eine deiner Töchter, dann fresse ich dich!«
Und er ging in böser Laune fort.
An diesem Abend kam die jüngste Tochter zuerst nach Hause. Ihr alter Vater erzählte ihr von dem Besuch und was der Teufel verlangte. Er erhoffte sich nicht viel davon; sie aber erwiderte: »Er soll lieber mich fressen als dich.«
Da erschien der Teufel mit großem Getöse und nahm das Mädchen mit sich in sein Reich. Als sie dort angelangt waren, sagte er: »Heute abend wirst du meine Frau, aber ich fresse dich nicht, denn du bist zu hübsch.«
Als sie seine Frau geworden war, fragte er sie, um sich Geltung zu verschaffen:
»Soll ich mich in den Wind verwandeln, in einen Hund oder in einen Igel?«
»In einen Igel«, antwortete sie.
Da verwandelte er sich in einen Igel.
»Bist du aber häßlich!« sagte seine Frau.
Da zog der Teufel sein Igelfell ab, warf es in eine Ecke des Schlafzimmers, und sie schliefen beide ein.
Inzwischen aber war es den beiden älteren Schwestern der Frau des Teufels gelungen, ein Mittel zu finden, um in das Schloß des Teufels, ihres Schwagers, zu gelangen. Sie waren neugierig und wollten gern wissen, was er mit ihrer jüngeren Schwester machen würde.
Als sie die beiden nun wie glückliche Eheleute schlafen sahen, wurden sie von furchtbarer Eifersucht ergriffen. Bevor sie gingen, stolperte die eine über das Igelfell und warf es ins Feuer. In diesem Augenblick roch der Teufel seine verbrannte Haut. Er sprang auf und versuchte, sie zu retten, aber es war zu spät: sie war schon ganz verkohlt.
»Mein Igelfell ist verbrannt«, sagte er zu seiner Frau, nachdem

er sie geweckt hatte; »die das getan haben, sollen verflucht sein; ich muß dich jetzt verlassen, um die Schuldigen zu finden und sie zu bestrafen.«
Und im Handumdrehen verschwand er.
Seine Frau war sehr unglücklich darüber, denn sie hatte bemerkt, daß der Teufel gar nicht so böse war, wie man sagte. Ihre früheren Brotgeber, die von Weihwasser lebten, waren viel schlimmer als er.
Und sie zog aus, um ihn zu suchen. Überall schaute sie sich um, ja, sie stieg sogar in den Himmel, zu dem Wind. Der war nicht zu Hause. Seine Frau war allein und hütete das Haus.
»Frau des Windes«, redete die Frau des Teufels sie an, »habt Ihr nicht den Teufel, meinen Mann, gesehen?«
»O nein, aber mein Mann ist überall zugleich, er hat ihn vielleicht irgendwo getroffen. Versteckt Euch unter dem Ausguß; wenn er kommt, frage ich ihn.«
Sie versteckte sich also unter dem Ausguß und wartete auf den Wind. Der kam auch bald.
»Laß nach mit deiner Kälte«, sagte seine Frau zu ihm; »nachher werde ich dich um eine Auskunft bitten.«
Der Wind antwortete:
»Was willst du wissen?«
»Wo ist der Teufel?«
»Ich habe ihn nicht gesehen, weder auf der Erde noch in der Luft. Vielleicht weiß die Sonne, wo er ist. Aber warum fragst du mich danach?«
»Weil seine Frau ihn sucht. Sie sitzt unter dem Ausguß. Willst du sie sehen?«
Der Wind war erstaunt, daß die Frau des Teufels so schön war.
»Da habt Ihr einen Weberkamm, der könnte Euch eines Tages nützlich sein.«
Also ging die Frau des Teufels zu der Sonne. Sie war nicht zu Hause. Ihre Schwester war allein und hütete das Haus.
»Schwester der Sonne, habt Ihr nicht den Teufel, meinen Mann, gesehen?«
»O nein, aber meine Schwester, die alles sieht, hat ihn vielleicht irgendwo bemerkt. Versteckt Euch hinter dem Bett. Wenn sie heimkommt, frage ich sie.«
Die Frau des Teufels versteckte sich hinter dem Bett. Bald kam die Sonne.
»Laß nach mit deiner Hitze«, sagte ihre Schwester zu ihr; »nachher werde ich dich um eine Auskunft bitten.«
Die Sonne erwiderte:
»Was willst du wissen?«
»Wo ist der Teufel?«
»Ich habe ihn nicht gesehen, weder auf der Erde noch in den

Lüften. Man muß den Mond fragen; der weiß vielleicht, wo er ist. Aber warum fragst du mich danach?«
»Weil seine Frau ihn sucht. Sie sitzt hinter dem Bett. Willst du sie sehen?«
Die Sonne war erstaunt, daß die Frau des Teufels so hübsch war.
»Da habt Ihr eine Spindel«, sagte sie zu ihr; »die kann Euch immer nützlich sein.«
Also ging die Frau des Teufels zu dem Mond. Der war nicht zu Hause. Seine Frau war allein und hütete das Haus.
»Frau des Mondes, habt Ihr nicht den Teufel, meinen Mann, gesehen?«
»O nein, aber mein Mann, der alle Geheimnisse hört, hat vielleicht irgendwo von ihm sprechen hören. Versteckt Euch unter dem Tisch. Wenn er heimkehrt, werde ich ihn fragen.«
Sie versteckte sich unter dem Tisch. Bald kam der Mond nach Hause.
»Beruhige dich«, sagte seine Frau zu ihm; »nachher werde ich dich um eine Auskunft bitten.«
Der Mond fragte:
»Was willst du wissen?«
»Wo ist der Teufel?«
»Oh, den habe ich gerade gesehen; er ist auf der Erde. Er läuft jammernd um das Haus eines armen alten Mannes, der ihm seine jüngste Tochter gegeben hat.«
»Danke«, sagte die Frau des Teufels und kam unter dem Tisch hervor, »jetzt gehe ich zu meinem Mann.«
Sie kam an das Haus ihres Vaters und fand den Teufel, wie der Mond gesagt hatte, der jammernd wie eine Seele in Not umherschlich. Es gelang ihr, ihn zu beruhigen; dann fragte sie ihn:
»Warum hast du mich verlassen, und warum schleichst du hier um das Haus meines Vaters und meiner Schwestern?«
»Wenn ich dich verlassen habe, dann, weil man mein Igelfell verbrannt hat. Ohne dieses Fell bin ich nicht mehr viel wert. Ich schleiche um euer Haus, weil ich mich an deinen Schwestern rächen will, die dies verschuldet haben.«
Aber seine Frau wollte nicht, daß er ihren Schwestern Böses tat. Sie riet ihm, sie bei sich arbeiten zu lassen.
»Ich habe einen Weberkamm und eine Spindel. Laß sie damit die ganze Wolle verarbeiten, die du in deinem Reich finden kannst; erst wenn sie die Aufgabe erfüllt haben, läßt du sie frei. Das wäre eine anständige Bestrafung.«
Der Teufel sah ein, daß seine Frau recht hatte; er sagte sich:
›Ich habe so viel Wolle in meinem Land, daß die beiden Schwestern ihr ganzes Leben bei der Arbeit verbringen werden, und auf diese Weise zwinge ich sie, sich totzuarbeiten.‹

Von dem Teufel bedroht, begaben die beiden Schwestern sich zu ihm und machten sich mit dem Weberkamm des Windes und der Spindel der Sonne an die Arbeit.
Aber diese Werkzeuge waren gewiß verzaubert, denn das eine kämmte mit der Geschwindigkeit des Windes, und das andere spann die schönsten Fäden, die waren weich und lang wie die Haare der Sonne.
In wenigen Tagen war die ganze Wolle des Teufels gesponnen und säuberlich in Knäuel gewickelt.
Als er sah, daß die beiden Schwestern ihm entgingen, ergriff der Teufel seine Frau und wollte sie hängen. Im letzten Augenblick besann er sich anders, und in einen heftigen Wind verwandelt suchte er das Weite, indem er das Schloß erzittern ließ. Seine Frau hütete sich aber, auf die Suche nach ihm zu gehen, und war klug genug, sich auf Erden wieder zu verheiraten.

Der Mann mit dem verschleierten Antlitz

Es lebten einmal ein König und eine Königin, die waren so reich wie das Meer. Der König war ein tapferer Mann. Er hatte alle seine Feinde im Kriege getötet und erhielt seinem Volk den Frieden und die Gerechtigkeit. Die Königin war eine sehr fromme Frau. Jeden Morgen nach der Messe teilte sie reichlich Almosen aus und wachte, auf daß es den Armen und Kranken an nichts fehle.
Der König und die Königin hatten nur einen Sohn. Bis zum Alter von siebzehn Jahren führte der Knabe ein ordentliches Leben. Dann aber geriet er in schlechte Gesellschaft. Er wurde ein Spieler, ein Trinker, ein Bösewicht, ein Wüstling. Das ging so weit, daß die Obersten des Landes sich zusammentaten und zu dem König gingen.
»Guten Tag, König!«
»Guten Tag, Freunde! Was kann ich für euch tun?«
»König, seit seinem siebzehnten Jahr treibt Euer Sohn sich in schlechter Gesellschaft herum. Er ist ein Spieler geworden, ein Trinker, ein Bösewicht, ein Wüstling. Eines Tages wird er unser Herr sein. Laßt ihn also bestrafen, damit er sich bessere, auf daß wir eines Tages, nach Eurem Tode, einen guten König haben.«
»Dank, Freunde. Ich bin gewarnt. Geht ruhig nach Hause.«
Da zog der König Erkundigungen ein und erfuhr, daß die Obersten des Landes ihm die Wahrheit gesagt hatten. Auf der Stelle ließ er seinen Sohn und den Henker kommen.
»Du Taugenichts! Seit deinem siebzehnten Jahr hast du dich in schlechter Gesellschaft herumgetrieben. Du bist ein Spieler ge-

worden, ein Trinker, ein Bösewicht, ein Wüstling ... Henker! Gib ihm hundert Peitschenhiebe!«
Der Henker tat seine Pflicht.
»Und jetzt, du Taugenichts, sollst du drei Jahre im Gefängnis schmachten ... Henker! Übergib meinen Sohn dem Kerkermeister.«
Wie befohlen, so geschah es. Drei Jahre lang schmachtete der Sohn des Königs im Gefängnis. Aber er besserte sich nicht, und als er herauskam, war er ein noch schlimmerer Spieler, noch schlimmerer Trinker, schlimmerer Bösewicht und schlimmerer Wüstling als zuvor. Das ging so weit, daß die Obersten des Landes sich von neuem zusammentaten und wieder zum König gingen.
»Guten Tag, König!«
»Guten Tag, Freunde! Was kann ich für euch tun?«
»König, Euer Sohn ist, seit er das Gefängnis verlassen hat, ein schlimmerer Spieler, ein schlimmerer Trinker, Bösewicht und Wüstling als zuvor. Eines Tages wird er unser Herr sein. Bestraft ihn also noch einmal, damit er sich bessere, auf daß wir nach Eurem Tode einen guten König haben.«
»Dank, Freunde. Ich bin gewarnt. Kehrt ruhig nach Hause zurück.«
Da zog der König Erkundigungen ein und erfuhr, daß die Obersten des Landes ihm die Wahrheit gesagt hatten. Auf der Stelle schloß er sich in sein Gemach ein und blieb dort drei Tage und drei Nächte, ohne einen Menschen zu sehen und ohne etwas anderes zu tun, als zu grübeln, zu weinen und zu Gott zu beten. Schließlich rief er einen Diener.
»Diener, sage meiner Frau, sie möge zu mir kommen.«
Der Diener gehorchte.
»Frau«, sprach der König, »ich habe großen Kummer, und ich will ihn dir mitteilen. Unser Sohn ist ein schlechter Mensch. Nichts kann ihn bessern. Ich will nicht, daß er nach meinem Tode das Volk quält. Morgen früh führe du diesen Taugenichts zur Beichte, während ich den Henker rufen lasse mit seinem scharf geschliffenen Schwert.«
»König, ich gehorche Euch.«
Die Königin ging hinaus und suchte ihren Sohn auf.
»Höre, du Unglücklicher! Du hast so viel Schuld auf dich geladen, daß dein Vater dich verleugnet. Deinetwegen läßt er morgen früh den Henker kommen mit seinem scharf geschliffenen Schwert. Rette dein Leben. Hier hast du Hemden. Hier sind tausend Louisdors. Nimm dein Schwert und gehe in den Marstall. Sattle und zäume das beste Pferd, und dann reite fort, so schnell du kannst, in gestrecktem Galopp.«
Der Königssohn tat, wie die Mutter ihn geheißen. Als er weit, sehr weit fort war, ging die Königin zum König.

»König, ich habe Euch nicht gehorcht. Ich habe unsern Sohn gewarnt. Jetzt ist er weit fort, so weit, daß niemand ihn mehr einholen kann.«
»Frau, ich zürne dir nicht. Das Land ist von einem Taugenichts befreit. Wenn dieser Bösewicht je zurückkehrt, werde ich selbst ihn dem Henker überliefern.«
Indessen flüchtete der Königssohn schnell, schnell, im gestreckten Galopp seines Rosses. Als die Sonne unterging, kam er in einen Wald. Dort stieg er ab, setzte sich zu Füßen eines Baumes nieder und dachte nach. ›Die schlechte Gesellschaft hat mich verloren. Ich bin ein Tunichtgut, ein Taugenichts. Aber, bei meiner Seele, es ist aus mit den bösen Taten, und ich werde danach trachten, es zu beweisen.‹
Um Mitternacht ritt der Königssohn weiter durch den Wald. Am folgenden Tag kam er in eine Stadt, die war siebenmal so groß wie Bordeaux. Dort verkaufte er sein Pferd mit Zaumzeug und Sattel. Er verkaufte seine schönen Kleider und behielt nur sein Schwert. Dann kaufte er Lumpen und einen Bettelsack. Er kaufte auch einen schwarzen Schleier, in dem drei Löcher waren, zwei für die Augen und eins für den Mund. Dann ging er in eine Kirche und suchte den Pfarrer auf.
»Guten Tag, Pfarrer.«
»Guten Tag, armer Mann. Was begehrst du?«
»Pfarrer, was ich dir zu sagen habe, ist Beichtgeheimnis. Pfarrer, ich bin von edler Geburt. Jedoch nenne ich dir weder meinen Vater noch meine Mutter, denn ich will ihnen keine Schande machen. Pfarrer, bis zu siebzehn Jahren habe ich ein ordentliches Leben geführt. Dann hat mich die schlechte Gesellschaft verdorben. Ich wurde ein Spieler, ein Trinker, ein Bösewicht, ein Wüstling. Aber, bei meiner Seele, es ist aus mit den bösen Taten, und ich werde danach trachten, es zu beweisen. Hier, Pfarrer, nimm mein Gold und mein Silber und gib es den Armen. Hier mein Schwert und ein schwarzer Schleier. Verbirg sie unter dem Hauptaltar deiner Kirche und gib sie mir wieder, wenn ich komme, um sie zurückzufordern.«
»Armer Mann, ich werde tun, was du sagst.«
Der Königssohn zog fort. Sieben Wochen lang wanderte er von Sonnenaufgang bis Sonnenuntergang, lebte von Almosen und schlief in Ställen um der Liebe Gottes willen. Eines Abends, auf der Schwelle eines Meierhofes, hielt er inne.
»Guten Abend, brave Leute. Bauer, brauchst du einen Knecht?«
»Ja, Freund, ich brauche einen Schweinehirten, von Sonnenaufgang bis Sonnenuntergang, um eine Herde von hundert Schweinen im Wald, längs des großen Meeres zu hüten.«
»Gut, Bauer, versuche es mit mir.«
Der Königssohn verdingte sich also als Schweinehirt. Jeden Morgen zog er hinaus, um seine Herde von hundert Schweinen im

Wald, längs des großen Meeres, zu hüten. Jeden Abend trieb er sie zurück in den Stall.
Das währte lange, sehr lange. Der Königssohn hatte aufgehört, Böses zu tun. Alle Leute in der Gegend hatten ihn gern, denn er war stark und kühn und arbeitsam wie kein zweiter und immer hilfsbereit gegen jedermann.
Eines Abends trieb der Königssohn seine Herde von hundert Schweinen in den Stall. Als er am Waldrand angelangt war, hörte er laute Schreie. Es war ein schwarzer Wolf, groß wie ein Pferd, der die Ziege einer armen Frau davontrug. Sogleich schlug der Königssohn den schwarzen Wolf mit schweren Stockhieben nieder; er tötete ihn und gab der Frau die Ziege zurück.
»Dank, Schweinehirt«, sagte die arme alte Frau. »Schweinehirt, ich weiß, woran du Nacht und Tag denkst; aber ich mag es dir nicht sagen. Du hast mir einen großen Dienst erwiesen, und ich will ihn dir vergelten. Sieh diese hohle Eiche. Dort wohne ich. Wenn du in Not bist, komm hierher, sobald die Glocke Mitternacht schlägt, und rufe dreimal: ›Ziegenhirtin! Ziegenhirtin! Ziegenhirtin!‹ Du wirst nicht lange warten müssen, und ich helfe dir in der Not.«
Die arme Alte verschwand mit ihrer Ziege, und der Königssohn nahm seine tägliche Arbeit wieder auf.
Eines Abends, als sie beim Essen saßen, erzählte der Bauer, der auf dem Jahrmarkt gewesen war, was er dort gesehen und gehört hatte.
»Schweinehirt, traurige Dinge geschehen in Frankreich. Ein Nebelriese ist gekommen, um dieses Land zu verderben, ein Nebelriese, hundert Klafter groß, mit einem diamantenen Auge mitten auf der Stirn. Von Sonnenaufgang bis Sonnenuntergang zieht der wüste Geselle durchs Land. Wo er vorüberkommt, verdorren Getreide, Reben, Bäume und werden nie wieder grün. Man sagt, der alte König von Frankreich sei vor Kummer dem Sterben nahe. Was tun? Aber keine Waffe kann dem Leib des Nebelriesen etwas anhaben, wenn nicht das diamantene Auge getroffen wird.«
Der Königssohn schien nur aus Gefälligkeit zuzuhören. Jedoch entging ihm kein einziges Wort. Als es Schlafenszeit war, tat er, als ginge er zu Bett, aber leise, ganz leise machte er sich auf den Weg in den Wald. Beim ersten Schlag der Mitternachtsglocke stand er vor der hohlen Eiche.
»Ziegenhirtin! Ziegenhirtin! Ziegenhirtin!«
Augenblicklich erschien eine Dame, die war jung und schön wie der Tag.
»Schweinehirt, ich bin die Ziegenhirtin. Schweinehirt, du hast mir einen großen Dienst erwiesen, und ich will ihn dir vergelten. Ich weiß, was du willst. Du willst den Nebelriesen töten, den hundert Klafter großen Riesen. Du willst ihn mitten auf

der Stirn treffen. Du willst sein Diamantenauge treffen. Höre! Solange der Nebelriese wach ist, wirst du ihn nie an der rechten Stelle treffen. Aber wenn er schläft, ist es anders. Ich werde dir sagen, wo er sich jeden Abend schlafen legt. Höre! Geh zum Pfarrer und verlange dein Schwert zurück, das er unter dem Hauptaltar seiner Kirche versteckt hat. Sobald dies getan ist, wirst du drei Tage und drei Nächte wandern, immer geradeaus, gen Süden. Dann wirst du im Lande der flachen Steppe sein, ganz in der Nähe eines alten zerfallenen Schlosses. Verbirg dich hinter Steinen und Büschen. Gib acht und warte. Du wirst den Nebelriesen sehen, der sich in seiner ganzen Länge auf die flache Steppe schlafen legt. Er schläft ein, das Antlitz den Sternen zugewandt. Sei vorsichtig. Der Nebelriese hat einen leichten, sehr leichten Schlaf. Bis Mitternacht rühre dich nicht. Dann ziehe leise, ganz leise deine Schuhe aus, nimm dein Schwert und schreite, schreite voran mit angehaltenem Atem. Frisch drauflos! Schlag zu und triff das Auge des Nebelriesen. Stoße deinen Arm bis zum Ellbogen hinein und reiße ihm das diamantene Auge heraus. Dann ist der Nebelriese tot, und er wird sich auflösen wie Rauch. Schweinehirt, du hast mir einen großen Dienst erwiesen. Ich habe ihn dir vergolten. Wir sind quitt. Leb wohl. Du wirst mich nimmermehr wiedersehen.«
Die Dame, so schön wie der Tag, verschwand in ihrer hohlen Eiche, und der Sohn des Königs kehrte auf den Meierhof zurück.
»Leb wohl, Meister. Ich muß eine weite Reise antreten.«
»Schweinehirt, hier nimm, was ich dir schulde. Trennen wir uns als gute Freunde. Geh, und möge der liebe Gott dich geleiten. Wenn du hierher zurückkehren willst, wirst du uns immer willkommen sein.«
»Danke, Meister. Behalte dieses Geld. Wenn ich in sieben Monaten nicht zurück bin, halte mich für tot. Dann verwende die eine Hälfte meines Lohnes für Almosen und die andere, um Messen für mich lesen zu lassen.«
»Schweinehirt, ich werde tun, was du sagst.«
»Danke, Meister; lebt wohl.«
Sieben Wochen später trat der Königssohn in die Kirche, wo sein Schwert und sein schwarzer Schleier immer noch unter dem Hauptaltar versteckt lagen.
»Guten Tag, Pfarrer. Gib mir mein Schwert und meinen schwarzen Schleier zurück.«
»Mit Vergnügen, armer Mann. Hier sind sie.«
»Danke, Pfarrer.«
Der Königssohn ging wieder fort. Drei Tage und drei Nächte wanderte er immer geradeaus gen Süden. Da kam er in das Land der flachen Steppe, wo sich in der Nähe ein altes, zerfallenes Schloß befand. Dort verbarg er sich hinter Steinen und Büschen, paßte auf und wartete.

Endlich kam der Nebelriese. Er legte sich in seiner ganzen Länge auf die flache Steppe, das Antlitz den Sternen zugewandt. Sein Schlaf war leicht, sehr leicht. Aber der Sohn des Königs rührte sich nicht. Bis Mitternacht stellte er sich tot. Dann zog er leise, ganz leise seine Schuhe aus und nahm sein Schwert. Er schritt auf den Riesen zu mit angehaltenem Atem.
Frisch drauflos! Schon war das Schwert im Auge des Riesen! Der Königssohn stieß den Arm bis zum Ellbogen hinein und riß das diamantene Auge heraus.
Der Nebelriese war tot. Er löste sich auf wie Rauch.
Da bedeckte der Königssohn sein Antlitz mit dem schwarzen Schleier und zog in das Schloß seines Vaters.
»Guten Tag, König.«
»Guten Tag, Mann mit dem verschleierten Antlitz. Was willst du von mir?«
»König, ich habe den Nebelriesen getötet. Hier ist sein diamantenes Auge.«
»Danke, Mann mit dem verschleierten Antlitz. Dein Dienst und dein Diamant sollen dir mit hunderttausend Pistolen bezahlt werden.«
»König, ich arbeite nicht für Geld. Wenn Euch diese hunderttausend Pistolen lästig sind, dann verschenkt sie als Almosen.«
»Mann mit dem verschleierten Antlitz, du handelst und sprichst wie ein Mann von edler Geburt. Zeige dein Antlitz.«
»König, so ist es. Ich bin ein Mann von edler Geburt. Aber es ist mir befohlen, mein Antlitz nicht zu enthüllen.«
»Wie du willst, Mann mit dem verschleierten Antlitz. Glücklich der Vater, der einen so weisen, so starken, so kühnen Sohn besitzt. Mein Sohn ist fortgezogen, ich weiß nicht, wohin. Er ist ein Schurke, der nicht den Strick wert ist, um ihn zu hängen.«
»König, ich kenne Euren Sohn. Verdammt ihn nicht voreilig. Längst hat er aufgehört, Böses zu tun, und er bemüht sich, es zu beweisen.«
»Mann mit dem verschleierten Antlitz, ich glaube dir nicht. Wenn dieser Taugenichts jemals zurückkehrt, werde ich selbst ihn dem Henker überliefern.«
Der Königssohn grüßte seinen Vater und suchte den Pfarrer in seiner Kirche wieder auf.
»Guten Tag, Pfarrer. Hier ist mein Schwert und mein schwarzer Schleier. Verbirg sie unter dem Hauptaltar deiner Kirche und gib sie mir wieder, wenn ich sie von dir fordern werde.«
»Armer Mann, ich werde tun, was du sagst.«
Der Königssohn kehrte zu seinem Herrn zurück, um von Sonnenaufgang bis Sonnenuntergang seine Herde von hundert

Schweinen längs des großen Meeres zu hüten. Das währte lange, sehr lange.
Eines Tages saß der Königssohn zu Füßen einer Eiche und grübelte. Im Gipfel der Eiche sang ein schöner goldener Vogel.
»Ich bin der goldene Vogel, der sonnenfarbene Vogel, der Vogel, der spricht und denkt wie ein Christ. Ich bin der goldene Vogel, der bis zum Tage des Jüngsten Gerichts am Leben bleibt, wenn ich alle hundert Jahre eine Pinte Blut zu trinken finde, das Blut eines Königssohns. Schweinehirt, morgen sind es hundert Jahre, seit ich nicht getrunken habe. Schweinehirt, ich weiß, wer du bist. Hilf mir mit einer Pinte deines Blutes.«
»Goldener Vogel, fliege herab!«
Der goldene Vogel gehorchte. Da zog der Königssohn sein Messer und stach sich in den Arm. Das Blut floß rot und warm, und der goldene Vogel trank wie aus der Flasche.
»Dank, Schweinehirt! Das genügt für hundert Jahre. Schweinehirt, du hast mir einen großen Dienst erwiesen, und ich will ihn dir vergelten. Höre! Reiße mir eine Feder aus dem Gefieder und verbirg sie im Futter deiner Mütze. Wenn du diese Feder in den Mund nimmst, wirst du auf der Stelle in einen goldenen Vogel verwandelt, wie ich einer bin. Dann kannst du fliegen, wohin du willst, so schnell wie der Blitz. Speist du die Feder aus, wirst du sofort wieder ein Mensch. Dann aber hat mein Geschenk jede Macht verloren. Schweinehirt, du hast mir einen großen Dienst erwiesen. Ich habe ihn dir vergolten. Wir sind quitt. Leb wohl. Du wirst mich nimmer wiedersehen.«
Und der goldene Vogel flog fort und verließ das Ufer des großen Meeres. Abends, als sie beim Essen saßen, erzählte der Bauer, der vom Jahrmarkt kam, was er dort gesehen und gehört hatte.
»Schweinehirt, in Frankreich sind traurige Dinge im Gange. Eine fliegende Schlange will dieses Land verderben, eine fliegende Schlange mit goldener Krone und hundert Klafter groß. Tag und Nacht zieht das hungrige Ungeheuer durchs Land und frißt Tiere und Menschen. Es heißt, der alte König von Frankreich sterbe vor Kummer. Was tun? Im Kampf gegen das gewaltige Tier sind schon so viele, so viele starke und kühne Männer gestorben. Denn das Herz muß getroffen werden, und die Waffen zerbrechen an der Schuppenhaut der goldgekrönten fliegenden Schlange.«
Der Königssohn tat, als höre er nur aus Gefälligkeit zu. Jedoch entging ihm kein einziges Wort. Als die Schlafenszeit gekommen war, ging er in sein Bett, aber er dachte die ganze Nacht an das, was der Bauer gesagt hatte.
Tags darauf stand der Königssohn vor Morgengrauen auf.
»Lebt wohl, Meister. Ich trete eine weite Reise an.«
»Schweinehirt, hier, was ich dir schulde. Trennen wir uns als

gute Freunde. Geh, und möge der liebe Gott dich geleiten. Wenn du hierher zurückkehren willst, wirst du immer willkommen sein.«

»Danke, Meister, behalte dein Geld. Wenn ich in sieben Monaten nicht zurückgekehrt bin, halte mich für tot. Dann verwende die eine Hälfte meines Lohnes für Almosen und die andere, um Messen für mich lesen zu lassen.«

»Schweinehirt, ich werde tun, was du sagst.«

»Danke Meister. Lebt wohl.«

Sieben Wochen später trat der Königssohn in die Kirche, wo sein Schwert und sein schwarzer Schleier immer noch unter dem Hauptaltar versteckt lagen.

»Guten Tag, Pfarrer. Gib mir mein Schwert und meinen schwarzen Schleier zurück.«

»Mit Vergnügen, armer Mann. Hier sind sie.«

Der Königssohn ging wieder fort. Drei Tage später sah er die fliegende Schlange auf sich zukommen, die fliegende Schlange, goldgekrönt und hundert Klafter groß.

Alsbald zog der Königssohn sein Schwert und suchte die Feder des Goldvogels, die er in seinem Mützenfutter versteckt hatte.

Die goldgekrönte fliegende Schlange kam daher mit offenem Maul, groß wie ein Kirchenportal.

Im rechten Augenblick nahm der Königssohn die Feder in den Mund. Sofort wurde er in einen goldenen Vogel verwandelt und flog schnell wie der Blitz ins Maul der goldgekrönten fliegenden Schlange. Er spie die Feder aus und wurde auf der Stelle wieder ein Mensch. Frisch drauflos! Der Königssohn schlug mit gewaltigen Schwerthieben in die Eingeweide und ins Herz des Ungeheuers. Die goldgekrönte fliegende Schlange, rot von Blut, spie den Jüngling aus und fiel tot um.

Da riß der Königssohn die goldene Krone vom Haupt der fliegenden Schlange, verbarg sein Antlitz unter dem schwarzen Schleier und zog ins Schloß seines Vaters.

»Guten Tag, König.«

»Guten Tag, Mann mit dem verschleierten Antlitz. Was willst du von mir?«

»König, ich habe die fliegende Schlange getötet. Hier ist ihre goldene Krone.«

»Danke, Mann mit dem verschleierten Antlitz. Für deinen Dienst und deine goldene Krone erhältst du zweihunderttausend Pistolen.«

»König, ich arbeite nicht für Geld. Wenn Euch die zweihunderttausend Pistolen lästig sind, verschenkt sie als Almosen.«

»Mann mit dem verschleierten Antlitz, du handelst und sprichst wie ein Mann von edler Geburt. Gewiß bist du der Sohn eines Königs. Enthülle dein Antlitz.«

»König, so ist es. Ich bin ein Mann von edler Geburt. Ich bin

Sohn eines Königs wie Ihr. Aber es ist mir befohlen, mein Antlitz nicht zu enthüllen.«

»Mann mit dem verschleierten Antlitz, wie du willst. Glücklich der Vater, der einen so weisen, so starken, so kühnen Sohn besitzt. Mein Sohn ist fortgezogen, ich weiß nicht, wohin. Er ist ein Schurke, der nicht den Strick wert ist, um ihn zu hängen. Höre, Mann mit dem verschleierten Antlitz: ich bin alt. Bleibe bei mir. Du sollst an meiner Statt befehlen.«

»König, ich kenne Euren Sohn. Verdammt ihn nicht voreilig. Längst hat er aufgehört, Böses zu tun, und er bemüht sich, es zu beweisen. Soll ich ihm sagen, zu Euch zurückzukehren, um an Eurer Statt zu befehlen?«

»Mann mit dem verschleierten Antlitz, ich glaube es nicht. Wenn dieser Taugenichts je zurückkehrt, werde ich selbst ihn dem Henker überantworten.«

Der Königssohn grüßte seinen Vater und ging hinaus. Am Schloßtor teilte die Königin Almosen an die Armen aus.

»Guten Tag, Königin. Helft schnell diesen Armen und laßt sie gehen. Ich habe im Vertrauen mit Euch zu sprechen.«

Nachdem die Armen Hilfe empfangen und sich entfernt hatten, nahm der Königssohn seinen schwarzen Schleier ab.

»Guten Tag, Königin. Erkennt Ihr mich?«

»Du bist mein Sohn! Du bist mein Sohn!«

»Still, Mutter. Wenn es das Unglück wollte, daß der König Euch hörte, würde er mich dem Henker überantworten. Und doch tue ich nichts Böses mehr, und ich trachte danach, es zu beweisen. Ich bin es, der Frankreich von dem Nebelriesen und von der goldgekrönten fliegenden Schlange befreit hat. Lebt wohl, Mutter. Mögen der liebe Gott und die Heilige Jungfrau Euch behüten. Mein Vater wird mich nimmermehr wiedersehen.«

Der Königssohn grüßte seine Mutter und suchte den Pfarrer in seiner Kirche wieder auf.

»Guten Tag, Pfarrer. Hier sind mein Schwert und mein schwarzer Schleier. Verbirg sie unter dem Hauptaltar deiner Kirche und gib sie mir wieder, sobald ich sie zurückverlange.«

»Armer Mann, ich werde tun, was du sagst.«

Der Königssohn kehrte zu seinem Herrn zurück, um von Sonnenaufgang bis zu Sonnenuntergang seine Herde von hundert Schweinen am Ufer des großen Meeres zu hüten. Das währte lange, sehr lange.

Eines Tages saß der Königssohn auf einem Felsen am großen Meer und grübelte, als er eine Stimme vernahm, die aus dem Grunde des Wassers kam, und die rief in lateinischer Sprache:

»Schweinehirt! Schweinehirt!«

Der Königssohn sprach lateinisch wie ein Pfarrer:

»Fisch des großen Meeres, was willst du von mir?«

Da erschien über den großen Wassern ein Mann mit langem Bart, und der hatte einen Fischschwanz.
»Schweinehirt, ich weiß, wer du bist. Schweinehirt, ich bin der König der Fische. Es gab eine Zeit, da war ich ein Mensch wie du. Ich lebte als Fischer im Dienste des heiligen Petrus. Beide gingen wir auf den Fischfang für Unseren Herrn Jesus Christus. Weh mir! Ich verweigerte die Taufe. Da warf mich der heilige Petrus ins große Meer und machte mich zum König der Fische. Aber es steht geschrieben, daß meine Not ein Ende nehmen wird. Sieben Jahre, nachdem ich Christ geworden bin, werde ich sterben und geradenwegs ins Paradies eingehen. Schweinehirt, hole mir Quellwasser und taufe mich im Namen des Vaters, des Sohnes und des Heiligen Geistes.«
Der Königssohn holte Quellwasser und taufte den König der Fische im Namen des Vaters, des Sohnes und des Heiligen Geistes.
»Dank, Schweinehirt. In sieben Jahren werde ich sterben, um geradenwegs ins Paradies einzugehen. Schweinehirt, du hast mir einen großen Dienst erwiesen, und ich gedenke, ihn zu belohnen. Höre. Wenn du mich brauchst, komme vor Sonnenaufgang hierher zurück. Wende dich dem großen Meer zu und rufe dreimal: ›König der Fische! König der Fische! König der Fische!‹ Du wirst nicht lange zu warten haben, und ich werde dich aus der Not erretten.«
Und der König der Fische tauchte ins große Meer.
Abends, als sie beim Essen saßen, erzählte der Bauer, der vom Jahrmarkt heimkehrte, was er dort gesehen und gehört hatte.
»Schweinehirt, es geschehen traurige Dinge in Frankreich. Die Schwarze Pest ist ausgebrochen. Täglich sterben die Menschen zu Tausenden und verfaulen in der Sonne, von Hunden und Raben in Stücke gerissen. Man sagt, der alte König von Frankreich sterbe vor Kummer. Was tun? Um die Schwarze Pest zu vertreiben, müßte man im königlichen Gartenbeet die goldene Blume pflanzen, die heilende Wunderblume, die Blume, die singt wie eine Nachtigall. Aber diese Blume, die in der Welt nicht ihresgleichen hat, befindet sich auf einer Insel des großen Meeres. Um die Insel grollen Nacht und Tag Sturm und Gewitter. Die armen Seefahrer, die auszogen, um zu dieser Insel zu gelangen, sind nie zurückgekehrt.«
Der Königssohn tat, als höre er aus Gefälligkeit zu. Jedoch entging ihm kein einziges Wort. Als die Schlafenszeit gekommen war, ging er zu Bett; aber er dachte die ganze Nacht an das, was der Bauer gesagt hatte.
Am folgenden Morgen stand der Königssohn vor Morgengrauen auf.
»Lebt wohl, Meister. Ich gehe auf eine weite Reise.«

»Schweinehirt, hier, was ich dir schulde. Trennen wir uns als gute Freunde. Geh, und möge der liebe Gott dich geleiten. Wenn du hierher zurückkehren willst, wirst du immer willkommen sein.«
»Danke, Meister. Behalte dieses Geld. Wenn ich in sieben Monaten nicht zurückgekehrt bin, halte mich für tot. Dann verwende die Hälfte meines Lohnes für Almosen und die andere Hälfte, um Messen für mich lesen zu lassen.«
»Schweinehirt, ich werde tun, was du sagst.«
»Danke, Meister. Lebt wohl.«
Sieben Wochen später betrat der Königssohn die Kirche, wo sein Schwert und sein schwarzer Schleier immer noch unter dem Hauptaltar versteckt lagen.
»Guten Tag, Pfarrer. Gib mir mein Schwert und meinen schwarzen Schleier zurück.«
»Armer Mann, mit Vergnügen. Hier sind sie.«
Der Königssohn ging wieder fort. Sieben Wochen später befand er sich vor Sonnenaufgang am Ufer des großen Meeres.
»König der Fische! König der Fische! König der Fische!«
Alsbald erschien der König der Fische an der Oberfläche des großen Meeres.
»Schweinehirt, du hast mir einen großen Dienst erwiesen, und ich gedenke, dich dafür zu belohnen. Schweinehirt, ich weiß, was du willst. Du suchst die Insel des großen Meeres, um die goldene Blume, die heilende Wunderblume, die singt wie eine Nachtigall, zu erringen. Mutig drauflos! Springe auf meinen Rücken. Und vorwärts!«
Der Königssohn gehorchte, und der König der Fische glitt übers Wasser so schnell wie der Blitz.
»Schweinehirt, hier ist die Insel, die du suchst. Springe an Land. Ergreife, was du suchst, und kehre schnell zurück. Ich habe anderswo zu tun.«
Der Königssohn gehorchte. Vor einem Wirtshaus, im Schatten der Reben, am Ufer des großen Meeres, saßen sechs Männer und zechten in Gesellschaft von sieben schönen Dirnen.
»Heda, Freund! Komm, lache und zeche mit uns!«
»Platz da, ihr Zuhälter! Weg mit euch, ihr liederlichen Frauenzimmer! Ich tue nichts Böses mehr, und ich bemühe mich, es zu beweisen.«
Und der Königssohn schlug mit dem Schwert in schweren Hieben auf die Zuhälter und die Dirnen ein.
»Da hast du's, du Schwein! Da hast du's, alte Vettel! Ihr sollt mit den Teufeln in der Hölle braten!«
So gingen diese geilen Leute zugrunde. Dann steckte der Königssohn sein Schwert in die Scheide und pflückte die goldene Blume, die heilende Wunderblume, die singt wie eine Nachtigall. Schnell kehrte er zu dem König der Fische zurück.

»Frisch drauflos! Springe auf meinen Rücken. Vorwärts!«
Der Königssohn gehorchte, und der König der Fische glitt übers Wasser so schnell wie der Blitz.
»Schweinehirt! Springe an Land. Wir sind zurück. Schweinehirt, du hast mir einen großen Dienst erwiesen. Ich habe dich dafür belohnt. Wir sind quitt. Leb wohl. Du wirst mich nimmer wiedersehen.«
Und der König der Fische tauchte in das große Meer. Da bedeckte der Königssohn sein Antlitz mit dem schwarzen Schleier und zog ins Schloß seines Vaters. Zuvor grub er mit seinem Schwert die Erde des Gartenbeetes um und pflanzte die goldene Blume ein, die heilende Wunderblume, die singt wie eine Nachtigall. Dann suchte er die Königin auf.
»Guten Tag, Mutter. Die Schwarze Pest ist gebannt. Ins Gartenbeet des Königs habe ich die goldene Blume gepflanzt, die heilende Wunderblume, die singt wie eine Nachtigall. Mutter, führe mich in das Gemach meines Vaters.«
»Komm!«
In dem Gemach brannten hundert Kerzen. Neun Priester sangen zu Füßen des Lagers, neun Priester in schwarz-weißem Ornat. Der König war tot.
Da kniete der Königssohn nieder und betete zu Gott.
Als die neun Priester hinausgegangen waren, wandte er sich seiner Mutter zu.
»Geht hinaus, Mutter, arme Mutter. Bis zur Stunde der Grablegung will ich allein am Leichnam meines Vaters wachen. Mutter, arme Mutter, laßt mir ein schönes Leichentuch aus Linnen bringen, darein will ich ihn hüllen. Laßt mir eine goldene Nadel und eine seidene Strähne bringen, um das schöne Leichentuch aus Linnen zusammenzunähen. Laßt alles zur festgesetzten Stunde bereit sein, die Bahre, die Träger, die Priester, die Kerzen und die Tücher*, die Almosen und das traurige Hochzeitsmahl. Geht hinaus, arme Mutter.«
Noch einmal betrachtete die Königin ihren toten Gemahl. Dann ging sie hinaus.
Der Königssohn hielt Wort. Bis zur Stunde der Grablegung hielt er selbst Totenwache bei seinem Vater. Mit der goldenen Nadel und der seidenen Strähne nähte er ihn in das schöne Leintuch ein. Dann sprengte er Weihwasser darüber, kniete nieder und betete zu Gott.
Am folgenden Morgen läuteten die Totenglocken. Neun Priester sangen auf dem Weg zum Friedhof. An der Spitze des Trauerzuges ging ein Armer, das Schwert im Gürtel, das Antlitz von einem schwarzen Schleier bedeckt.

* In der Gascogne tragen die Armen die Kerzen und folgen bei dem Begräbnis der Bahre zu beiden Seiten. Sie sind in ein Stück groben Wollstoff gehüllt, das die Familie des Toten ihnen schenkt, um ihre Teilnahme an der Totenfeier zu belohnen.

Als der Gesang der Gebete schwieg, riß der Arme seinen schwarzen Schleier herunter und warf ihn in die Gruft.
»Volk, ich bin der König! Volk, die Schwarze Pest ist gebannt! Ich habe die goldene Blume gebracht, die heilende Wunderblume, die singt wie eine Nachtigall. Aber mein armer Vater ist tot, ohne mir zu verzeihen. Jünglinge, dies sei euch ein Beispiel!«
Der König kehrte in seinen Palast zurück, um dort zu befehlen nach Recht und Gerechtigkeit. Drei Jahre lang trug er Trauer um den armen Toten. Dann heiratete er eine Prinzessin, die war schön wie der Tag und fromm wie eine Heilige. Lange, sehr lange lebten sie mit ihren Kindern. Der König aber konnte nicht glücklich sein, denn sein Vater war gestorben, ohne ihm zu verzeihen.

Goldfuß

Es war einmal ein Schmied in Pont-de-Pîle, einem Weiler, am Ufer des Gers gelegen, der war ein Klafter groß und stark wie ein Paar Ochsen. Der Mann war schwärzer als der Herd, mit langem Bart, struppigen Haaren und roten Augen, die glühten wie Kohlen. Nie setzte er den Fuß in eine Kirche, auch aß er jederzeit Fleisch, sogar am Karfreitag. Es hieß, daß der Schmied von Pont-de-Pîle nicht zur christlichen Rasse gehörte.
Tatsache ist, daß er allein in seinem Hause lebte, wo der Eintritt für die Kundschaft verboten war; wer etwas von dem Meister wollte, mußte ihn herausrufen. Der Schmied hatte nicht seinesgleichen in der Bearbeitung des Metalls, ob es nun Gold oder Silber war. Die Aufträge fielen ihm ins Haus wie Hagelkörner. Er führte sie alle aus ohne andere Hilfe als die eines schwarzen Wolfes, und der war groß wie ein Pferd. Tag und Nacht blieb dieser Wolf in dem Rad eingesperrt, das den Blasebalg der Schmiede betrieb. Sieben junge Burschen hatten sich bei dem Meister gemeldet, um das Handwerk zu lernen. Aber die Prüfung war so schwer, so schwer, daß sie drei Tage später an den Folgen gestorben waren.
Zu jener Zeit lebte im Weiler La Côte, zwischen Lectoure und Pont-de-Pîle gelegen, eine arme Witwe allein mit ihrem Sohn in ihrem Häuschen. Als der Knabe vierzehn Jahre alt war, sagte er eines Abends zu seiner Mutter:
»Mutter, wir arbeiten uns beide zu Tode, ohne auch nur das Notwendigste zum Leben zu verdienen. Morgen werde ich den Schmied von Pont-de-Pîle aufsuchen; ich will bei ihm in die Lehre gehen.«
»Mein Sohn, dieser Mann setzt nie den Fuß in eine Kirche, und

er ißt Fleisch zu jeder Zeit, sogar am Karfreitag. Es heißt, er gehöre nicht zur christlichen Rasse.«
»Mutter, der Schmied von Pont-de-Pîle wird mich nicht zum Bösen verleiten.«
»Mein Sohn, sieben junge Burschen haben sich bei ihm gemeldet, um das Handwerk zu lernen. Aber die Prüfung war so schwer, so schwer, daß sie drei Tage später an den Folgen gestorben sind.«
»Mutter, ich werde die Prüfung bestehen und nicht daran sterben.«
»Mein Sohn, ich vertraue der Gnade Gottes und der Heiligen Jungfrau Maria.«
Beide gingen schlafen. Am folgenden Morgen, bei Tagesanbruch, stand der Bursche vor der Werkstatt des Schmiedes von Pont-de-Pîle.
»He! Schmied von Pont-de-Pîle! He! He! He!«
»Was willst du, Bursche?«
»Ich will Euer Lehrling werden, Schmied von Pont-de-Pîle.«
»Komm herein, Bursche!«
Der Bursche trat in die Werkstatt ohne Furcht und Angst.
»Zeig mir, Bursche, daß du stark bist!«
Der Bursche nahm einen sieben Zentner schweren Amboß und warf ihn über hundert Klafter weit hinaus.
»Zeig mir, Bursche, daß du geschickt bist!«
Der Bursche stellte sich vor ein Spinngewebe, räufelte es von Anfang bis zu Ende auf und wickelte es zu einem Knäuel, ohne auch nur ein einziges Mal den Faden zu zerreißen.
»Zeig mir, Bursche, daß du kühn bist!«
Der Bursche öffnete die Tür zu dem Rad, wo der schwarze Wolf, der groß war wie ein Pferd, Nacht und Tag eingeschlossen lebte, um den Blasebalg der Schmiede in Betrieb zu halten. Sofort sprang der Wolf hinaus. Aber der Bursche ergriff ihn noch im Sprunge an der Kehle, schnitt ihm den Schwanz und die vier Klauen auf einem Amboß ab und verbrannte ihn lebendig im Feuer der Esse.
»Bursche, du hast die Prüfung bestanden. Du bist stark, geschickt und kühn. In drei Tagen soll dein Dienst bei mir beginnen. Ich zahle dir guten Lohn. Aber du darfst bei mir weder wohnen noch essen.«
»Meister, ich gehorche Euch.«
Der Lehrling grüßte den Schmied von Pont-de-Pîle und ging hinaus. Dann dachte er:
›Meine Mutter hat recht. Mein Meister ist kein Mensch wie die andern. Drei Tage und drei Nächte will ich mich verbergen und ihn heimlich beobachten. Dann werde ich wissen, mit wem ich es zu tun habe.‹
Nachdem er dies beschlossen hatte, suchte der Lehrling seine Mutter auf.

»Mutter, wir sind reich. Der Schmied von Pont-de-Pîle hat mich als Lehrling angenommen. In drei Tagen fange ich an. Ohne Euch befehlen zu wollen, Mutter, gebt mir einen Sack voll Brot und eine Flasche Wein. Ich muß eine Reise machen, und ich habe es eilig, fortzukommen, damit ich zur rechten Zeit zurück bin.«
»Hier, mein Sohn. Mögen der liebe Gott und die Heilige Jungfrau dich vor allem Übel bewahren.«
Der Lehrling verabschiedete sich von seiner Mutter und tat, als reise er fort. Aber er versteckte sich heimlich in der Nähe der Schmiede von Pont-de-Pîle in einem Heuschober, und von dort sah und hörte er alles, ohne selbst gesehen und gehört zu werden.
Bei Sonnenuntergang schloß der Schmied von Pont-de-Pîle seine Werkstatt. Aber der Lehrling traute ihm nicht. Er hielt die Augen und die Ohren offen. Als die Sterne die elfte Stunde zeigten, öffnete der Schmied von Pont-de-Pîle leise die Tür seines Hauses und blickte umher, ob niemand ihn beobachte. Dann ahmte er den Ruf der Grille nach:
»Cri, cri, cri; komm liebe Tochter. Komm, Schlangenkönigin. Cri, cri, cri.«
»Vater, hier bin ich.«
Die Schlangenkönigin war groß und dick wie ein Kornsack, und auf dem Kopf trug sie eine schwarze Lilienblüte. Vater und Tochter küßten und liebkosten einander mit Leidenschaft.
»Nun, Vater, habt Ihr einen Lehrling?«
»In drei Tagen werde ich einen haben, liebe Tochter. Er ist der Sohn einer Witwe aus La Côte. Er ist stark, geschickt und kühn.«
»Ich habe ihn gesehen, Vater. Ich liebe ihn.«
»Gut, liebe Tochter, sobald er alt genug ist, werde ich euch verheiraten. Jetzt geh. Mitternacht ist nahe, und ich habe nur gerade Zeit, mich bereitzumachen.«
Die Schlangenkönigin verschwand. Alsbald begab sich der Schmied von Pont-de-Pîle ans Ufer des Gers, auf eine Wiese, die von Eschen, Pappeln und Weiden umsäumt war. Der Lehrling war aus dem Heuschober herausgekrochen. Leise, ganz leise folgte er seinem Meister und verbarg sich hinter den Bäumen.
Der Schmied von Pont-de-Pîle zog sich aus, bis er nackt war wie ein Wurm, und verbarg seine Kleider in einer hohlen Weide. Dann streifte er seine Haut ab vom Kopf bis zu den Füßen und stand da als ein großer Otter.
»Ich will meine Menschenhaut gut verstecken«, sagte er, »denn wenn ich sie nicht wiederfände, um sie vor Sonnenaufgang anzulegen, müßte ich für immer ein Otter bleiben.«
Er verbarg seine Menschenhaut in der hohlen Weide, und ge-

rade, als die Sterne Mitternacht zeigten, sprang er in den Gers. Der Lehrling sah ihn schwimmen, auf den Grund des Flusses tauchen und mit einem Karpfen oder einem Aal zurückkehren, die er im Mondschein verzehrte. Dies dauerte bis zum Morgengrauen. Da stieg der Schmied von Pont-de-Pîle aus dem Wasser, zog seine Menschenhaut und seine Kleider wieder an und kehrte nach Hause zurück, ohne zu ahnen, daß er beobachtet worden war. Der Lehrling versteckte sich wieder in dem Heuhaufen. Zwei weitere Nächte sah und hörte er, was er in der ersten Nacht gesehen und gehört hatte.

»Mein Meister ist also der Vater der Schlangenkönigin«, sagte er. »Jede Nacht sucht sie ihn auf, um mit ihm zu sprechen. Die Schlangenkönigin liebt mich, und sie will mich heiraten, wenn ich alt genug bin. Mein Meister ist verdammt, sich jeden Abend, von Mitternacht bis Tagesanbruch, in einen Otter zu verwandeln. Alles das ist gut zu wissen, aber man darf es nicht weitersagen.«

Am Morgen des dritten Tages trat der Lehrling in die Werkstatt mit unschuldiger Miene, als hätte er nichts gesehen und gehört.

»Guten Tag, Meister. Hier bin ich, um meine Lehrzeit zu beginnen.«

Also begann die Lehre. Mit fünfzehn Jahren wußte der Lehrling schon mehr als der Meister. Aber er stellte sich ungeschickter an aus Furcht, er könne den Schmied von Pont-de-Pîle neidisch machen.

Eines Abends sprach der Meister zu seinem Lehrling:

»Höre! In drei Monaten verheiratet der Marquis von Fimarcon seine älteste Tochter mit dem König der Meeresinseln. Die Braut braucht eine Menge Schmuck. Ich soll ihn herstellen. Du wirst morgen früh vorausreisen mit den Werkzeugen. Im Schloß von Lagarde wird es dir weder an Gold noch an Silber fehlen, auch nicht an Diamanten und Edelsteinen. Schmiede und passe an, so gut du kannst. Mache die grobe Arbeit. Einen Monat vor der Hochzeit werde ich dort sein, um nach dem Rechten zu sehen und um viele Dinge zu vollenden, die du niemals machen könntest.«

»Meister, ich gehorche Euch.«

Am folgenden Morgen traf der Lehrling mit seinen Werkzeugen im Schloß von Lagarde ein. Sofort nach dem Frühstück machte er sich an die Arbeit. Es fehlte ihm weder an Gold noch an Silber, auch nicht an Diamanten und Edelsteinen.

›O Meister‹, dachte er, ›die Zeit ist nahe, da du erkennen wirst, ob es viele Dinge gibt, die ich niemals werde machen können.‹

Und der Lehrling schmiedete Gold und Silber. Er paßte die Diamanten und die Edelsteine an. Noch nie hatte man so schöne Ringe, so schöne Ketten, so schöne Ohrgehänge gesehen, und nie wieder wird man so schöne Dinge sehen. Im Schloß von Lagarde lobten Herren und Diener den Lehrling unaufhörlich, mit Ausnahme der jüngsten Tochter des Marquis von Fimarcon, eines kleinen Fräuleins, schön wie der Tag und sittsam wie eine Heilige. Und doch sah sie dem Lehrling von morgens bis abends bei seiner Arbeit zu. Schließlich, eines Tages, als sie allein waren, sprach das kleine Fräulein:

»Lehrling, schöner Lehrling, du machst da wunderschöne Dinge für meine älteste Schwester. Würdest du noch besser arbeiten, wenn es für ein anderes Mädchen wäre? Sage es mir.«

»Ja, kleines Fräulein. Wenn ich eine Liebste hätte, würde ich eine goldene Kette für sie machen, die nicht ihresgleichen fände.«

»Lehrling, schöner Lehrling, wie würde diese goldene Kette aussehen, die nicht ihresgleichen fände? Sage es mir.«

»Für meine Liebste, kleines Fräulein, würde ich eine goldene Kette machen, eine schöne Kette aus gelbem Gold und strahlend wie die Sonne. Diese Kette würde ich glühend aus der roten Esse nehmen und in eine Schale meines Blutes tauchen. Wenn sie gut gehärtet ist, würde ich sie wieder in die rote Esse werfen, während meine Liebste sich bis zum Gürtel entkleidet. Dann lege ich ihr die schöne goldene Kette um den Hals, und sie wird eins mit ihrem Fleisch, so daß weder Gott noch der Teufel sie ihr abreißen könnten. Kraft dieser schönen goldenen Kette gehört meine Liebste mir allein und denkt nur an mich. Solange es mir gut geht, bleibt die schöne goldene Kette gelb. Wenn aber Unglück über mich hereinbricht, wird sie rot wie Blut. Dann hat meine Liebste drei Tage Zeit, um sich bereitzumachen. Sie wird zu ihren Eltern sagen: ›Ich muß sterben. Begrabt mich in meinem Hochzeitskleid mit dem Schleier und dem Kranz aus Orangenblüten auf dem Kopf und mit einem Strauß weißer Rosen am Gürtel.‹ Am dritten Tag wird sie einschlafen. Jedermann wird glauben, sie sei tot. Dann, so gekleidet, wird man sie begraben, und schlafend wird sie weiterleben, solange das Unglück über mir ist. Wenn ich sterbe, ist sie verloren. Wenn aber das Unglück nicht mehr über mir ist, werde ich kommen, um sie zu wecken, und dann werden wir Hochzeit feiern.«

»Lehrling, schöner Lehrling, schmiede mir diese schöne goldene Kette.«

In sieben Stunden war die schöne Kette aus gelbem Golde fertig; sie strahlte wie die Sonne. Dann warf sie der Lehrling in die rote Esse, zog sein Messer, schnitt sich in den Arm, ließ sein Blut in eine Schale fließen und tauchte die schöne goldene Kette hinein, bis sie gut gehärtet war. Dann warf er sie wieder in die rote Glut und blies heftig und lange, während das kleine Fräulein sich bis zum Gürtel entblößte. Jetzt legte er dem Mädchen

die schöne goldene Kette um den Hals; sie wurde eins mit dem Fleisch, so ganz und gar, daß weder Gott noch der Teufel sie hätten abreißen können.
»Lehrling, schöner Lehrling, ich bin deine Liebste. Jetzt, kraft dieser schönen goldenen Kette, gehöre ich nur dir, denke ich nur an dich.«
Das kleine Fräulein kehrte in sein Gemach zurück. Weder seine Eltern noch die Diener erfuhren jemals, was sich zugetragen hatte.
Am folgenden Morgen kam der Schmied von Pont-de-Pîle.
»Guten Tag, Meister.«
»Guten Tag, Lehrling. Du arbeitest jetzt seit zwei Monaten. Ich bin gekommen, um nach dem Rechten zu sehen und um viele Dinge zu vollenden, die du nie imstande wärest zu machen.«
»Seht, Meister.«
Und der Lehrling zeigte das geschmiedete Gold und Silber, die angepaßten Diamanten und Edelsteine, die schönen Ringe, die schönen Ketten und Ohrgehänge.
Der Schmied von Pont-de-Pîle brach in Gelächter aus.
»Lehrling, ich kann dich nichts mehr lehren. Du kannst mehr als ich. Jetzt bist du frei und kannst dich selbständig machen. Aber du würdest mir einen Dienst erweisen, wenn du noch drei Monate in meiner Werkstatt bliebest.«
»Meister, ich gehorche Euch. Ich bleibe in Eurer Werkstatt solange Ihr wollt.«
Dann suchten der Schmied von Pont-de-Pîle und der Lehrling den Marquis von Fimarcon auf.
»Guten Tag, Marquis von Fimarcon.«
»Guten Tag, Freunde. Was wollt ihr von mir?«
»Marquis von Fimarcon«, sagte der Schmied von Pont-de-Pîle, »wir haben hier nichts mehr zu tun. Mein Lehrling hat besser gearbeitet, als ich selbst es hätte machen können. Ihn müßt Ihr bezahlen.«
»Hier, Lehrling, habt Ihr tausend Louisdors.«
»Marquis von Fimarcon, ich will keinen Lohn. Wenn diese tausend Louisdors Euch lästig sind, dann schenkt sie den Armen.«
Beide grüßten den Marquis von Fimarcon und kehrten nach Pont-de-Pîle zurück. Sieben Tage später sprach der Meister zu seinem Lehrling:
»Lehrling, heute ist Jahrmarkt in Condom. Wir müssen beizeiten dort sein. Trinken wir ein Gläschen, und dann vorwärts.«
»Auf Euer Wohl, Meister.«
»Auf das deinige, Lehrling.«
Aber der Schmied von Pont-de-Pîle tat nur, als trinke er, denn er hatte ein Schlafpulver in den Wein getan, das war so stark, daß der Lehrling auf der Stelle in tiefem Schlaf zu Boden sank wie ein Klotz.

Dann fesselte ihn der Schmied von Pont-de-Pîle mit Seilen und Ketten an Händen und Füßen. Er knebelte ihn mit einem Lappen. Als der Lehrling erwachte, flammte die Esse wie das Feuer der Hölle, und der Schmied von Pont-de-Pîle feilte die Zähne einer neuen Säge.
»Lehrling, du lumpiger Lehrling, du wolltest mehr können als dein Meister. Jetzt bist du in meiner Macht. Niemand wird dich befreien. Tod und Leiden wirst du erdulden, wenn du mir nicht gehorchst. Willst du meine Tochter, die Schlangenkönigin heiraten?«
Der Mund des Lehrlings war durch den Knebel verschlossen. Er schüttelte den Kopf, um »nein« zu sagen.
Da nahm der Schmied von Pont-de-Pîle seine neue Säge. Er sägte langsam, ganz langsam, den linken Fuß des Lehrlings ab und verbrannte ihn in der Esse.
»Lehrling, willst du meine Tochter, die Schlangenkönigin heiraten?«
Der Lehrling schüttelte den Kopf, um »nein« zu sagen.
Da ergriff der Schmied von Pont-de-Pîle von neuem seine Säge. Er sägte langsam, ganz langsam, den rechten Fuß des Lehrlings ab und verbrannte ihn in der Esse.
»Lehrling, willst du meine Tochter, die Schlangenkönigin, heiraten?«
Der Lehrling schüttelte den Kopf, um »nein« zu sagen.
Da begriff der Schmied von Pont-de-Pîle, daß er Zeit und Mühe vergeudet hatte. Er warf den Lehrling auf seinen Karren, bedeckte ihn mit Stroh und peitschte sein Pferd, das wie ein Blitz davonraste. Als die Sonne unterging, waren sie weit, sehr weit, weiter als die Heide, weiter als das Land der Fichten und des Tannenharzes. Sie waren am Ufer des großen Meeres, im Lande der Schlangen, wo die Tochter des Schmiedes von Pont-de-Pîle herrschte. Dort stand ein Turm ohne Dach, ohne Türen und ohne Fenster, mit einem Brunnen in der Mitte. Der Turm war hundert Klafter hoch. Die Mauern waren aus so hartem Gestein und mit so festem Mörtel gebaut, daß weder Picke noch Sprengstoff ihnen etwas anhaben konnten. Die Schlangenkönigin allein hatte die Macht, durch ein Loch hinein- und hinauszugehen, aber dieses Loch schloß sich sogleich hinter ihr.
Der Schmied von Pont-de-Pîle und die Schlangenkönigin riefen die großen Adler vom Berge herbei.
»Ihr großen Adler vom Berge, höret! Höret wohl zu, damit ihr Punkt für Punkt durchführen könnt, was euch befohlen wird. Nehmt diesen Taugenichts und tragt ihn in den Turm. Bis er meine Tochter, die Schlangenkönigin, geheiratet hat, wird er dort gefangen bleiben. Er soll auf dem Boden schlafen mit dem Himmel als Dach. Wenn er Durst hat, soll er das Brunnenwasser trinken. Aber weder Eisen noch Silber, noch Gold, weder

Diamanten noch Edelsteine sollen ihm fehlen. Seine ganze Arbeit werdet ihr mir bringen. Wenn er es hundertmal verdient hat, werft ihr ihm eine Brotkruste hinein, schwarz wie der Herd und bitter wie Galle.«

Die großen Adler vom Berge gehorchten. Sieben Jahre lang blieb der Lehrling allein in dem Turm; er schlief auf dem Boden, der Himmel war sein Dach. Wenn er Durst hatte, trank er das Brunnenwasser. Es fehlte ihm nicht an Eisen, Silber und Gold, auch nicht an Diamanten und Edelsteinen. Seine ganze Arbeit brachten die großen Adler vom Berge dem Schmied von Pont-de-Pîle. Als der Lehrling es hundertfach verdient hatte, warfen sie ihm eine Brotkruste hinein, die war schwarz wie der Herd und bitter, bitter wie Galle.

Dennoch arbeitete der Lehrling nicht immer für seinen Meister. Unter seinem Amboß hatte er ein tiefes Loch gegraben; dort verbarg er die Dinge, die er für sich schmiedete, und die großen Adler vom Berge sahen sie nicht.

Zuerst schmiedete er für sich eine Axt aus feinem Stahl, und sie war breit und scharf geschliffen.

Dann schmiedete er für sich einen eisernen Gürtel, und dieser eiserne Gürtel hatte drei Haken.

Dann schmiedete er für sich ein Paar goldene Füße, die waren so gut gearbeitet und so gut angepaßt wie seine eigenen Füße, die der Schmied von Pont-de-Pîle ihm abgesägt und verbrannt hatte.

Schließlich schmiedete er für sich ein Paar große Flügel, die waren leicht, so leicht wie eine Feder.

Diese Arbeit dauerte sieben Jahre. Jeden Abend, bei Sonnenuntergang, trat die Schlangenkönigin durch das Loch in den Turm, das sich nur für sie öffnete und sich sogleich wieder hinter ihr schloß.

»Lehrling, deine Folter nimmt ein Ende, sobald ich deine Frau bin.«

»Hinaus, Schlangenkönigin! Ich habe eine Liebste. Nie und nimmer nehme ich eine andere!«

Dies sagten sie sich Abend für Abend. Aber als alles bereit war, sprach der Lehrling anders.

»Lehrling, deine Folter nimmt ein Ende, sobald ich deine Frau bin.«

»So komm denn, Schlangenkönigin. Ich verstoße meine Liebste. Nie und nimmer werde ich ihrer gedenken.«

Die Schlangenkönigin legte sich neben den Lehrling auf den Boden. Sie küßten einander und sprachen von Liebe bis Sonnenaufgang.

»Lehrling, deine Folter nimmt ein Ende. Bald bin ich deine Frau. Leb wohl. Heute abend, bei Sonnenuntergang, kehre ich zurück.«

»Leb wohl, Schlangenkönigin. Ich warte deiner mit Ungeduld.«
Abends, eine Stunde vor Sonnenuntergang, dachte der Lehrling: ›Und jetzt werden wir lachen.‹
Er nahm seine Axt aus feinem Stahl, seine breite, scharf geschliffene Axt. Er legte seinen eisernen Gürtel um, den eisernen Gürtel mit drei Haken, und paßte seine goldenen Füße an. Dann preßte er sich eng an die Mauer und hielt Wache unmittelbar neben dem Loch, durch das die Schlangenkönigin jeden Abend in den Turm kam.
Als die Schlangenkönigin hereintrat, stellte ihr der Lehrling schnell den Fuß auf das Genick. Sie wandte sich zischend um, aber sie biß nur in die goldenen Füße. Mit einem Axthieb trennte der Lehrling das Haupt vom Rumpf und hängte es an seinen eisernen Gürtel. Dann legte er die großen Flügel an, so leicht, wie eine Feder, und stieg bis auf die höchste Spitze des Turmes. Die Nacht senkte sich nieder. Der Lehrling betrachtete den Himmel, um sich zurechtzufinden und seinen Weg nach den Sternen zu richten. Plötzlich setzte er zum Fluge an; er flog hundertmal schneller als die Schwalbe.
Schließlich landete er auf dem Dach des Spitals von Lectoure, von wo man den Weiler La Côte, die Häuser von Pont-de-Pîle und den Fluß Gers überblickt. Dort horchte, beobachtete und wartete er.
Von allen Türmen der Stadt hörte er die elfte Stunde schlagen. Da sah er, wie im Mondschein der Schmied von Pont-de-Pîle aus seinem Hause trat, um sich in einen Fischotter zu verwandeln und bis Tagesanbruch im Gers zu leben.
Er wartete, bis der letzte Schlag der Mitternachtsglocke verklungen war. Dann flog der Lehrling hundertmal schneller als eine Schwalbe auf die hohle Weide, wo der Schmied von Pont-de-Pîle jede Nacht seine Menschenhaut verbarg. Im Handumdrehen hing diese an einem Haken seines eisernen Gürtels, während er hundert Klafter hoch über dem Gersfluß schwebte.
»He! Schmied von Pont-de-Pîle! He! He! He!«
»Was willst du von mir, großer Vogel?«
»Schmied von Pont-de-Pîle, ich bringe dir Nachricht von deiner Tochter, Nachricht von der Schlangenkönigin.«
»Sprich, großer Vogel.«
»Großer Vogel bin ich nicht. Ich bin dein Lehrling. Sieben Jahre lang habe ich Tod und Leiden ertragen in einem Turm am Ufer des großen Meeres. Schmied von Pont-de-Pîle, du willst Nachricht von deiner Tochter, Nachricht von der Schlangenkönigin. Höre! Deine Tochter hängt in zwei Stücken, Kopf und Rumpf, an meinem eisernen Gürtel. Hier: fische sie aus dem Gers, und sieh zu, wie du sie zusammenflickst.«
Der Schmied von Pont-de-Pîle schrie auf wie ein Seeadler.

»Schmied von Pont-de-Pîle, das ist nicht dein ganzes Leid. Suche deine Menschenhaut in der hohlen Weide. Suche, mein Freund! Suche gut. Sie hängt an meinem eisernen Gürtel. Und du bleibst ein Otter für immer und ewig.«
Der Schmied von Pont-de-Pîle tauchte in den Gers. Man sah ihn nie und nimmer wieder.
Dann flog der Lehrling hundertmal schneller als eine Schwalbe zu dem Häuschen seiner Mutter.
Tapp! tapp!
»Wer klopft?«
»Öffne, Mutter.«
»Jesus, Maria! Bist du's, mein Sohn? Seit sieben Jahren hoffte ich auf dich.«
»Mutter, es stand mir nicht frei, früher heimzukehren. Ich freue mich, daß der liebe Gott und die Heilige Jungfrau Maria Euch gesund erhalten haben. Jetzt, Mutter, bin ich imstande, groß zu verdienen. Ihr braucht nur noch zu arbeiten, wenn es Euch gefällt. Ohne Euch befehlen zu wollen, Mutter, macht ein Feuer. Stellt den Bratrost bereit, legt einen Laib Brot auf den Tisch und einen Krug Wein dazu. Ich bringe das Fleisch; es hängt an meinem eisernen Gürtel.«
»Jesus, Maria! Mein Sohn, das ist ja die Haut eines Christen.«
»Mutter, es ist die Haut des Schmiedes von Pont-de-Pîle. Er gehörte nicht zur christlichen Rasse. Ihr werdet ihn nie mehr wiedersehen.«
Eine Stunde später war die Haut geröstet und verzehrt.
»Und jetzt, Schmied von Pont-de-Pîle, versuche, deine Haut aus meinem Bauch zu holen.«
Dann legte der Lehrling seine großen Flügel an, die waren so leicht, so leicht wie eine Feder, und flog davon, hundertmal schneller als eine Schwalbe.
In fünf Minuten stand er vor der Schloßkapelle von Lagarde, wo seine Liebste im Grabe schlief. Mit einem Stoß seiner Schulter drückte er die Tür ein. Dann zündete er eine Kerze an der Lampe an, die Tag und Nacht zu Ehren der heiligen Sakramente brennt, hob den Stein des Grabgewölbes auf, als wäre er ein Kork, sprang hinein und riß den Deckel vom Sarg seiner Liebsten.
»He! Kleine Jungfrau! Steht auf! Ihr schlaft schon seit sieben Jahren!«
»Bist du's, schöner Lehrling? Das Unglück ist also nicht mehr über dir! Sieh! Ich habe alles getan, wie du's befahlst. Ich trage mein Hochzeitskleid, mit Schleier und Kranz aus Orangenblüten auf dem Haupt, und am Gürtel den Strauß weißer Rosen.«
»Steht auf, kleine Jungfrau.«
Das kleine Fräulein erhob sich. Der Lehrling trug sie in die Kapelle, und dort beteten sie lange zu Gott.

»Kleines Fräulein, es ist Tag. Geht in Eure Kammer und bleibt darin, bis ich Euch rufe.«
»Schöner Lehrling, ich gehorche dir.«
Das kleine Fräulein ging in seine Kammer.
Der Lehrling aber trat vor den Herrn und die Herrin des Schlosses. »Guten Tag, Marquis und Marquise von Fimarcon. Erkennt Ihr mich?«
»Nein, lieber Freund, wir erkennen dich nicht.«
»Das ist nicht recht. Ich bin der Lehrling des Schmiedes von Pont-de-Pîle. Vor sieben Jahren habe ich zwei Monate lang hier gearbeitet, als Eure älteste Tochter sich dem König der Meeresinseln vermählte.«
»Du sprichst wahr, Lehrling. Jetzt erkennen wir dich.«
»Marquis und Marquise von Fimarcon, Ihr hattet eine jüngere Tochter, ein kleines Fräulein von dreizehn Jahren. Sie ist jetzt wohl mit einem Prinzen vermählt?«
»Lehrling, unsere jüngste Tochter ist im Himmel. Vor sieben Jahren hat der liebe Gott sie uns genommen. Wir haben sie begraben, wie sie es wollte, in einem Brautkleid mit Schleier und einem Kranz von Orangenblüten auf dem Kopf und am Gürtel einen Strauß weißer Rosen.«
»Marquis und Marquise von Fimarcon, schwört mir bei Eurer Seele und bei der Strafe der Verdammnis, daß Ihr mir Eure jüngste Tochter zur Frau gebt, wenn ich sie Euch lebendig zurückbringe.«
»Bei unserer Seele und bei der Strafe der Verdammnis!«
»Marquis und Marquise von Fimarcon, laßt schnell den Pfarrer rufen. Ich hole Eure Tochter!«
Der Lehrling führte das kleine Fräulein herein. Sie wurden am gleichen Morgen getraut, und die Hochzeit währte vierzehn Tage. Der Lehrling und seine Frau lebten lange glücklich, und sie hatten zwölf Söhne. Der älteste war der stärkste und schönste von allen. Aber sein Leib war mit feinen Härchen bedeckt, weich und gelblich wie die des Fischotters. Das kam, weil der Vater am Hochzeitstag die auf dem Rost gebratene Haut des Schmiedes von Pont-de-Pîle gegessen hatte.

Der aufgehängte Löwe

Ein Mann kam eines Tages durch einen Wald; da sah er einen Löwen von dem höchsten Zweig eines Baumes herabhängen, dessen eine Hinterpfote dort eingeklemmt war.
»Ach, erbarmt Euch meiner«, flehte das Raubtier, »und macht mich hier los. Ich bin auf diesen Baum geklettert, um eine Elsterbrut zu fressen; da hat sich meine Tatze in diesem gespaltenen

Zweig eingeklemmt, und es besteht keine Hoffnung, mich aus eigener Kraft zu befreien.«
»Ich verstehe deine Not«, erwiderte der Mann, »aber wenn ich dich losmache, wird dich gewiß die Lust anwandeln, mich zu fressen.«
»Ich schwöre dir bei meiner Löwin und bei meinen Jungen, daß ich dir nie etwas zuleide tun werde, weder dir noch deinen Viehherden.«
Der Mann machte also den Löwen los, aber kaum befand sich dieser auf festem Boden, als er begann, den Fremden mit hungrigem Blick zu betrachten.
»Ich habe großen Hunger«, rief er mit einer Stimme, die nicht sehr verheißungsvoll klang; »ich würde mich schon mit einem Menschen wie dich als Mahlzeit begnügen.«
»Mach nicht so grausige Scherze«, sagte der Mann; »du hast mir feierlich versprochen, mich zu verschonen!«
»Ja, gewiß«, erwiderte der Löwe, »aber es wäre doch Wahnsinn, wenn ich freiwillig verhungern würde.«
»Man hat ganz recht, zu sagen: ›Gutes wird mit Bösem vergolten.‹ Unterbreiten wir den Fall einem Schiedsrichter. Fragen wir die Hündin, die dort im Dickicht umherstreift.«
»Einverstanden«, antwortete der Löwe.
»Höre, Hündin«, sprach der Fremde. »Der Löwe hing an diesem Baum mit eingeklemmter Tatze. Hätte ich ihn nicht befreit, wäre er unweigerlich ums Leben gekommen. Findest du es gerecht, daß er mich, der ihn gerettet hat, jetzt fressen will?«
»Ihr konntet Euch keinen schlechteren Schiedsrichter für Eure Sache aussuchen«, erwiderte die Hündin. »Ich habe dem Jäger Martinon langjährige, treue Dienste geleistet. Aber jetzt, da ich alt bin, hat er mich fortgejagt. Er setzt mich der Not aus und verurteilt mich, meine elende Nahrung auf öden Pfaden zu suchen. So wahr ist das Sprichwort: ›Gutes wird mit Bösem vergolten.‹«
»Die Frage ist unbeantwortet«, sagte der Fremde. »Fragen wir die alte Stute, die dort auf der Lichtung grast.«
»Einverstanden«, erwiderte der Löwe.
»Stute«, sagte der Mann, »der Löwe hing mit eingeklemmter Tatze an einem Baum und wäre zugrunde gegangen; er hat mich um Hilfe angefleht, und ich habe ihn losgemacht. Findest du es gerecht, daß er mich, der ihn gerettet hat, jetzt fressen will?«
»Um über eine Frage der Undankbarkeit zu entscheiden, kommt Ihr bei mir an die schlechte Adresse«, erwiderte die alte Stute. »Ich habe meinem Herrn, einem jungen Edelmann, lange Jahre treu gedient. Aber als er sah, daß ich alt wurde, hat er mich aus seinen Ställen verjagt, und nur mit Mühe finde ich an dürren Wegrändern ein wenig Futter, das mich vor dem Hungertod bewahrt. Ich bin mehr und mehr davon überzeugt, daß Gutes mit Bösem vergolten wird.«

In diesem kritischen Augenblick bemerkte der Mann einen Fuchs im Gebüsch.
»Fragen wir den Fuchs dort um Rat über unsern Fall«, sagte der Mann.
»Gern«, erwiderte der König der Tiere.
Der Fremde beschrieb von neuem, worum es sich handelte.
»Ich möchte mein Gewissen nicht belasten ohne genaue Kenntnis der Tatsachen«, erwiderte der Fuchs. »Auf welchem Baum befand sich denn der Löwe in der unangenehmen Lage eines Gehängten? Ich möchte den Platz sehen, bevor ich darüber urteilen kann.«
Alle drei begaben sich nun an den Fuß des Baumes, und der Fremde zeigte dem Fuchs den verhängnisvollen Zweig.
»Wie hat denn der Löwe seine Tatze in diesen Zweig klemmen können? Steigt doch ein wenig dort hinauf, Herr Löwe; dann kann ich es leichter begreifen.«
Der Löwe tut, was der Fuchs verlangt, und klettert auf den Baum.
»Legt doch bitte Eure Tatze in den gespaltenen Zweig.« Wieder kommt der Löwe der Bitte des Fuchses nach.
»Und Ihr sagt, in diesem Zustand wäret Ihr mit dem Kopf nach unten gestürzt, ohne Euch losmachen zu können? Ich kann nicht verstehen, wie das möglich gewesen sein soll.«
»Nichts einfacher«, sagte der Löwe, »meine Tatze war so eingeklemmt wie jetzt« — und er neigt sich nach vorn — »und so bin ich gestürzt« — und er läßt sich fallen.
»Und jetzt«, sagte der Fuchs, »jetzt kannst du dich nicht mehr losmachen?«
»Was soll ich denn da machen?«
»Bleiben, wo du bist, Gevatter!«
Darauf entfernt sich Meister Fuchs mit dem Fremden und läßt den Löwen brüllend vor Wut zurück.
Als sie sich trennten, dankte der Mann dem Fuchs.
»Ach, mein lieber, mein bester Fuchs! Was kann ich dir zur Belohnung schenken?« rief er.
»Da du nach Dankbarkeit hungerst«, erwiderte der Fuchs, »bringe mir zwei fette Hühnchen.«
»Du sollst sie morgen haben.«
Zur festgesetzten Stunde begibt sich der Mann in den Wald. Bald erscheint auch der Fuchs. Man begrüßt sich, man gibt sich den Segen, es fehlt nicht viel, und sie umarmen einander.
»Hier sind die Masthühnchen«, sagt der Mann. »Halte dich bereit, sie gleich zu packen.«
Der Mann hebt den Sack hoch, die Öffnung nach unten gewandt. Aber was kommt heraus? Zwei Hunde, die sich mit grausigem Gebell auf den Fuchs stürzen. Der Fuchs nimmt den Wettlauf auf und erreicht im Galopp das Dickicht, während er das Sprich-

wort der alten Hündin und der mageren Stute wiederholt: »Gutes wird mit Bösem vergolten.«
Glücklicherweise kam der Gott der Schwachen ihm zu Hilfe, denn er fand auf seinem Weg einen Fuchsbau; er sprang hinein, und die Hunde konnten ihn dort nicht erreichen.
Der Fuchs war gerettet, der Löwe war tot ... was aber wurde aus dem Menschen?

Die Laus

Da waren einmal in Aurenque, einem Weiler im Kanton Fleurance, ein Müller und eine Müllerin; die hatten eine Tochter, hübsch wie ein Herz und rechtschaffen wie Gold. Jeden Tag, nach dem Essen, schickten die Eltern sie hinaus, um das Vieh zu hüten, und dort, auf den Wiesen, am Ufer des Gers, blieb sie, bis es Nacht wurde.
Eines Abends saß die kleine Müllerin am Fuß einer alten hohlen Weide, und während sie ihre Spindel drehte, dachte die Kleine: ›Heute bin ich genau achtzehn Jahre alt. Bald wird ein schöner Jüngling kommen und bei meinen Eltern um mich anhalten.‹
In diesem Augenblick kam ein armer Mann mit einem langen, weißen Bart am Flußufer daher, den Stock in der Hand und den Quersack auf dem Rücken.
»Kleine Müllerin, gebt mir ein Almosen um der Liebe Gottes und der Heiligen Jungfrau willen. Pater noster ...«
»Da, armer Mann, nehmt mein Brot.«
»Danke, kleine Müllerin. Du sollst belohnt werden für deine Barmherzigkeit. Ich weiß, woran du denkst, wenn du so deine Spindel drehst. Du denkst: ›Heute bin ich genau achtzehn Jahre alt. Bald wird ein schöner Jüngling bei meinen Eltern um meine Hand anhalten.‹«
»Armer Mann, du hast es erraten. Wer bist du?«
»Kleine Müllerin, ich bin Jean du Ramier*. Geduld. Dein Wunsch soll erfüllt werden.«
In diesem Augenblick trat ein Mann aus der hohlen Weide, der war einen Klafter groß und schwarz wie der Herd. Das war Cagolouisdors**, ein Schurke, der böser war als hundert Teufel zusammen, und der hatte große Macht auf Erden.
»Jean du Ramier«, sagte er, »ich übernehme es, den schönen Jüngling zu finden, der bei den Müllersleuten um die Hand der kleinen Müllerin anhalten wird.«
Dann verschwand Cagolouisdors wieder in der alten hohlen

* Ramier ist der Name eines Waldes zwischen Lectoure und Fleurance.
** Cagolouisdors bedeutet ›Qui chie des Louisdors‹, also: Goldstücksdheißer.

Weide, und Jean du Ramier ging seines Weges, am Ufer des Gers entlang.
Die kleine Müllerin trieb ihr Vieh in den Stall. Unterwegs dachte sie: ›Da sind Dinge im Gange, die recht traurig für mich sind.‹ Und so war es.
Eine Stunde nach Sonnenuntergang aß die kleine Müllerin mit ihren Eltern zu Abend. Plötzlich hörte man einen gewaltigen Lärm auf dem Mühlendach. Der Kamin rauchte fürchterlich, und durch den Schacht fiel ein Mann ins Zimmer, der war einen Klafter groß und schwarz wie der Herd.
Es war Cagolouisdors.
»Guten Appetit, ihr braven Leute. Ich bringe euch einen Mann für die kleine Müllerin.«
Cagolouisdors zog eine Schachtel aus der Tasche, öffnete sie und warf eine Laus auf den Tisch, die war dick wie eine Bohne.
»Da ist der schöne Bursche, der bei deinen Eltern um dich anhalten wird, kleine Müllerin. Jean du Ramier hat ihn jung, stark und kühn gewählt. Ich habe daraus gemacht, was du hier siehst. Komm nur her, kleine Müllerin. Ich werde dir drei Kopfhaare ausreißen und sie verstecken, wo es mir gefällt. In drei Tagen komme ich zurück. Kannst du erraten, wo ich die drei Haare versteckt habe, dann wird deine Laus sich auf der Stelle in einen schönen, jungen, starken Burschen zurückverwandeln. Wenn nicht, verdamme ich dich, ihn so zu heiraten, wie er ist und wie er bis in den Tod bleiben wird.«
Während Cagolouisdors also sprach, verlor die Laus keine Zeit. Sie krabbelte, ohne gesehen zu werden, ins Ohr der kleinen Müllerin. Dort flüsterte sie ihr leise, ganz leise, zu:
»Fürchte dich nicht, kleine Müllerin. Laß Cagolouisdors nur machen. Ich übernehme es, das Versteck deiner drei Haare zu entdecken. Und so werde ich in einen schönen, jungen, starken und kühnen Burschen zurückverwandelt.«
»Cagolouisdors«, sprach die kleine Müllerin, »hier ist mein Kopf. Nehmt, was Ihr braucht.«
Während Cagolouisdors der kleinen Müllerin die drei Haare ausriß und sie um ein Stückchen Holz wickelte, verlor die Laus keine Zeit. Sie krabbelte aus dem Ohr des Mädchens heraus und setzte sich ins Haar ihres Feindes. So verborgen, hörte und sah sie alles, ohne selbst gesehen zu werden.
Cagolouisdors ging fort. Die ganze Nacht wanderte er gen Süden in Richtung auf die Stadt Auch. Der Morgen graute, als er dort im Stadtteil Sankt Peter ankam, wo sich ganz in der Nähe ein tiefer, finsterer Brunnen befindet. Er sah sich nach allen Seiten um, ob auch niemand ihn beobachtete, dann nahm er eins der Haare und warf es in den Brunnen.
Aber die Laus, die in Cagolouisdors' Haaren saß, hörte und sah, ohne gesehen zu werden.

Nachdem Cagolouisdors so das erste Haar versteckt hatte, ging er in eine Herberge, um zu trinken und zu essen. Dann begab er sich in die Sankt-Marien-Kathedrale, versteckte sich im rechten Augenblick hinter aufgestapelten Stühlen und schlief ein. Aber die Laus, die in Cagolouisdors' Haaren saß, hörte und sah, ohne gesehen zu werden. Beim ersten Schlag der Mitternachtsglocke wachte Cagolouisdors auf. Er trat aus seinem Versteck, zündete eine Kerze an der Lampe des Allerheiligsten an, drückte mit einem Stoß seiner Schulter die Tür ein, die auf die Turmtreppe führte, stieg zu den Glocken hinauf, nahm das zweite Haar der kleinen Müllerin und band es um den großen Glockenschwengel.
Aber die Laus, die in Cagolouisdors' Haaren saß, hörte und sah, ohne gesehen zu werden.
Dann ging Cagolouisdors in sein Versteck zurück, um den rechten Augenblick abzuwarten und sich bei Morgengrauen, wenn der Glöckner das Angelus läutete, aus dem Staube zu machen.
Aber die Laus, die in Cagolouisdors' Haaren saß, hörte und sah, ohne gesehen zu werden.
Cagolouisdors kehrte in seine Herberge zurück, um zu trinken und zu essen. Dann zog er weiter, ohne recht zu wissen, wohin.
»Vorsicht«, sagte er sich, als er so wanderte. »Du mußt dieses letzte Haar der kleinen Müllerin noch besser verstecken als die beiden andern.«
Den ganzen Tag und die ganze Nacht, den ganzen folgenden Tag zog Cagolouisdors umher, ohne sich für ein bestimmtes Versteck entscheiden zu können. Als die Sonne unterging, sah er sich um. Zu seinem Erstaunen befand er sich ganz in der Nähe von Aurenque.
»Tausend Götter! Die drei Tage sind bald vorüber, und ich habe noch kein Versteck für das letzte Haar der kleinen Müllerin gefunden. Unsinn! Am besten, ich lasse es in meiner Tasche. Wer das errät, müßte ein ganz gerissener Schlauberger sein.«
Und Cagolouisdors ließ das dritte Haar der kleinen Müllerin in seiner Tasche.
Aber die Laus, die in Cagolouisdors' Haaren saß, hörte und sah, ohne gesehen zu werden.
Leise, ganz leise krabbelte sie in die Tasche hinunter, wickelte das dritte Haar ab und schlang es um Cagolouisdors' Leib. Dann begab sie sich schnell wieder an ihren Posten.
Eine Stunde nach Sonnenuntergang aß die kleine Müllerin mit ihren Eltern zu Abend. Plötzlich hörte man einen gewaltigen Lärm auf dem Mühlendach. Der Kamin rauchte fürchterlich. Durch den Schacht fiel ein Mann ins Zimmer, der war einen Klafter groß und schwarz wie der Herd.
Es war Cagolouisdors.
»Guten Appetit, ihr braven Leute. Kleine Müllerin, die drei

Tage sind vorüber. Wenn du errätst, wo deine drei Haare versteckt sind, wird deine Laus auf der Stelle in einen schönen, jungen, starken, kühnen Burschen zurückverwandelt. Wenn nicht, verdamme ich dich, ihn so zu heiraten, wie er ist und bis in den Tod bleiben wird.«
Während Cagolouisdors sprach, verlor die Laus keine Zeit. Ohne gesehen zu werden, verließ sie ihren Posten, krabbelte ins Ohr der kleinen Müllerin und flüsterte ihr leise, ganz leise zu:
»Hab keine Angst, kleine Müllerin. Ich weiß, wo deine drei Haare versteckt sind. Nimm mich aus deinem Ohr, behutsam, sehr behutsam, und lege mich in deinen Mund. Von dort werde ich auf Cagolouisdors' Fragen antworten.«
Die kleine Müllerin gehorchte und stand da mit offenem Mund.
»Sage mir, kleine Müllerin«, sprach Cagolouisdors, »wo ich das erste deiner Haare versteckt habe.«
»Cagolouisdors«, erwiderte die Laus, »das erste meiner Haare hast du in einen Gartenbrunnen geworfen, in einen tiefen, finsteren Brunnen in Auch, im Sankt-Peter-Stadtviertel.«
»Sage mir, kleine Müllerin, wo habe ich das zweite deiner Haare versteckt?«
»Cagolouisdors, das zweite meiner Haare hast du um den großen Glockenschwengel von Sankt Marien in Auch gewickelt.«
»Sage mir, kleine Müllerin, wo ich das letzte deiner Haare versteckt habe.«
»Cagolouisdors, das letzte meiner Haare ist um deinen Leib geschlungen.«
»Das ist gelogen, kleine Müllerin. Das letzte deiner Haare habe ich in meiner Tasche behalten.«
»Cagolouisdors, du bist es, der lügt. Sieh selber nach.«
Während er nachsah, kam Jean du Ramier herein.
»Kleine Müllerin«, sagte er, »es ist aus mit der Macht des Cagolouisdors. Speie deine Laus aus.« Die kleine Müllerin gehorchte. Kaum ausgespien, wurde die Laus ein schöner, junger, starker und kühner Bursche. Nun war aber das Haar, das um Cagolouisdors' Leib geschlungen war, lang, dick, und stark wie ein Tau. Damit band Jean du Ramier seinen Feind an einen Tragpfeiler des Raumes fest.
»Vorwärts, Freunde!« rief er. »Jeder nehme einen Stock und schlage mit aller Kraft auf Cagolouisdors' Hintern.«
Der Müller, seine Frau, seine Tochter und der schöne Bursche gehorchten. Bei jedem Stockschlag fiel ein doppelter Louisdor aus Cagolouisdors' Hintern.
Schließlich hörte Cagolouisdors auf zu scheißen. Da band ihn Jean du Ramier vom Pfeiler los.
»Hinaus mit dir, du Räuber! Du hast nichts mehr im Bauch, und du hast keine Macht mehr, Böses zu tun. Und ihr, liebe Freunde, sammelt alle diese Goldstücke auf. Die sind für die

kleine Müllerin. Schon morgen soll sie diesen schönen Burschen heiraten.«
Es geschah, wie er gesagt hatte. Nach der Hochzeit nahm Jean du Ramier seinen Quersack und seinen Stock.
»Lebt wohl, Freunde. Lebt reich, glücklich und zufrieden. Ich ziehe weiter. Ich habe anderswo zu tun.«
Und Jean du Ramier zog fort. Man hat ihn nie und nimmer wiedergesehen.

Der Schmied Elend

Es war einmal ein Schmied namens Elend. Er war arm, arm wie des Richters Kater, so daß er oftmals seine Kinder betteln schikken mußte, denn es war kein Stück Brot im Hause.
An einem Winterabend, als Elend mit den Kindern am Herdfeuer saß in Erwartung des kärglichen Abendbrotes, das seine Frau auf den Tisch brachte, klopfte ein alter, ganz zerlumpter Bettler an die Tür und sprach:
»Um der Liebe Gottes willen, ihr guten Seelen, gebt mir ein Plätzchen für die Nacht an eurem Herd und ein Stückchen Brot dazu, wenn ihr's entbehren könnt.«
»Herein, armer Mann, herein«, erwiderte Elend sogleich, »wir tun immer noch, was wir können.«
Die Frau war unzufrieden; sie brummte vor sich hin:
»Sieh mal an! Geht's uns noch nicht schlecht genug? Unsere Kinder müssen immerfort betteln, einmal hier, einmal da, und jetzt nimmst du auch noch herumziehende Bettler auf.«
»Ach was!« erwiderte Elend. »Man muß doch Mitleid haben. Ein paar Bissen mehr oder weniger, was macht das schon. Bringe das wenige, was wir haben.«
Und er sprach zu dem Bettler: »Ihr wißt, wer arm ist, ist nicht reich. Es gibt nicht viel zum Brot, aber wir teilen gern. Kommt, setzt Euch ans Feuer, Ihr seid ja starr vor Kälte.«
Und er machte ihm Platz, warf einige Scheite aufs Feuer, und als der Greis sich aufgewärmt hatte, wies er ihm den Schemel neben sich bei Tisch an und ermunterte ihn, zuzugreifen. Sie plauderten eine Zeitlang, dann war es Schlafenszeit, und der Schmied und seine Frau bereiteten dem armen Mann ein Nachtlager neben dem Herd, wo er schlafen konnte, so gut es ging, und dort legte er sich nieder. Am folgenden Morgen, sobald es Tag war, stand der Bettler auf und nahm seinen Stock, um weiterzuwandern, aber als er auf der Türschwelle stand, sagte er zu Elend:
»Elend, gestern abend, bevor ich hierherkam, klopfte ich an die Tür eines Reichen, aber er stieß mich zurück, ohne mir ein Al-

mosen zu geben; du dagegen, obgleich du große Mühe hast, dein Leben zu fristen, du bist mitleidig gewesen. Du sollst es nicht bereuen, denn ich bin der liebe Gott, und als Belohnung für diese gute Tat erlaube ich dir, mich um drei Dinge zu bitten; worum du auch bitten magst, es soll dir gewährt werden.«
Da sagte die Frau ganz leise zu Elend, indem sie ihn mit dem Ellbogen anstieß:
»Wünsche dir Reichtum. Wir sind so arm! Damit wir's ein wenig gemütlich haben auf unsere alten Tage und den Kindern etwas hinterlassen können.«
»Laß mich mal überlegen«, erwiderte Elend.
Und als er einen Augenblick nachgedacht hatte, sagte er zu dem lieben Gott:
»Ich habe da einen alten Schemel; ich wünsche mir, daß keiner, der sich daraufsetzt, ohne meine Erlaubnis wieder aufstehen kann.«
Als die Frau das hörte, lief ihr die Galle über, und sie sagte leise:
»Wirst du ganz verrückt? Was zum Teufel soll dir dieser Schemel einbringen? Wir sind zum Wegwerfen arm! Kannst du dir denn nicht lieber Reichtum wünschen?«
»Ich habe zu antworten«, sagte Elend, »und ich wünsche mir, was mir gefällt.«
Und wieder überlegte er einen Augenblick; dann sagte er zum lieben Gott:
»Ich habe da einen Apfelbaum vor meiner Tür, und immer werden mir die Äpfel gestohlen. Ich wünsche mir, daß jeder, der hinaufklettert, nur mit meiner Erlaubnis wieder herunterkommen darf.«
Jetzt konnte die Frau sich nicht mehr beherrschen.
»Verlierst du denn ganz und gar den Kopf«, rief sie, »daß du dein Glück vorbeigehen läßt, wenn es dir entgegenkommt? Kannst du dir denn nicht Äpfel kaufen, soviel du willst, wenn du reich bist?«
»Ich habe zu antworten«, sagte Elend, »und ich wünsche, was mir paßt.«
»Aber jetzt wünsche dir wenigstens Reichtum«, fing die Frau wieder an, »es bleibt dir nur noch ein Wunsch.«
Nachdem er wieder einen Augenblick nachgedacht hatte, zog Elend aus seiner Tasche eine alte Lederbörse, in die er nicht oft Geld hineinzulegen hatte, und er zeigte sie dem lieben Gott und sagte:
»Ich möchte, daß nichts, was in diese Börse hineingeht, ohne meine Erlaubnis herauskann.«
»Deine Wünsche sollen erfüllt werden«, sagte der liebe Gott. Und dann ging er fort. Aber die Frau begann Krach zu schlagen

und überhäufte Elend mit Vorwürfen und Schimpfwörtern. Elend ließ sie schreien, ging an seine Arbeit und tat, als hörte er nicht.
Nach einigen Tagen, als Elend bei der Arbeit war, kam ein Mann herein, den er nie zuvor gesehen hatte.
»Gott befohlen, Schmied!«
»Gott befohlen.«
»Was treibst du da?«
»Ich arbeite, wie du siehst.«
»Gut und schön, aber hör zu, du mußt mir etwas sagen.«
»Wenn ich es weiß, gern.«
»Man hat mir erzählt, daß du neulich abends jemand bei dir zu Gast gehabt hast.«
»Man hat dich nicht belogen.«
»Und was hast du davon gehabt?«
»Gar nichts. Ich habe auch nichts verlangt.«
»Nichts? Das ist wenig. Nun, mein Sohn, ich bin der Teufel, und wenn du mir versprichst, was ich von dir verlange, mache ich dich sehr, sehr reich. Keiner wird glücklicher und zufriedener sein als du.«
»Einverstanden, aber vor allem, was verlangst du dafür?«
»Das werde ich dir sagen. In zehn Jahren, genau auf den Tag, komme ich wieder, und dann gehörst du mir, dann mußt du mir folgen. Aber während dieser zehn Jahre wird alles Gold und Silber, wann immer du es haben willst, im gleichen Augenblick in deine Tasche fließen. Da kannst du leben wie ein großer Herr, ›ein Knie über dem andern‹; du wirst alles haben, was dein Herz begehrt und was dir Freude macht.«
»Einverstanden«, sagte Elend.
Kaum hatte er diese Worte gesprochen, da verschwand der Teufel.
Von diesem Tage an war Elend nur noch bemüht, sich für alles, was er bis dahin gelitten hatte, schadlos zu halten. Er ließ es sich gut gehen und führte ein lustiges Leben, verzichtete auf nichts und ging von einem Fest zum andern, so daß es auf zwanzig Meilen in der Runde keinen gab, der froher und glücklicher gewesen wäre als er.
Nachdem er so zehn Jahre lang gelebt hatte, erschien eines schönen Morgens der Teufel, trat über die Türschwelle und sprach:
»Nun, mein Sohn, bist du bereit? Ich habe mein Wort gehalten, jetzt halte das deine. Heute ist es fällig.«
»Ach«, rief Elend, »du störst mich sehr. Ich dachte überhaupt nicht mehr daran. Würdest du mir nicht zehn weitere Jahre bewilligen, um mir gefällig zu sein? Ich unterhalte mich gerade so gut, und es wäre mir wirklich unangenehm, wenn ich so schnell abbrechen müßte.«

»Nein, nein!« rief der Teufel. »Nur keine Ausflüchte. Die Stunde ist gekommen. Du mußt mir folgen.«
»Nun, da du so fest entschlossen bist«, sagte Elend, »so laß mich nur schnell meine Angelegenheiten ordnen, bevor ich mit dir gehe. Da hast du einen Schemel; nimm einen Augenblick Platz, bis ich bereit bin.«
Und er stellte ihm den alten Schemel hin; der Teufel setzte sich darauf. Nach einem Augenblick:
»Jetzt bin ich bereit«, sagte Elend, »wenn du willst, können wir gehen.«
»Gehen wir«, sagte der Teufel. Und er wollte aufstehen, aber zu seiner großen Überraschung konnte er sich nicht mehr von dem Stuhl erheben.
»He«, sagte er, »was ist denn das? Ich kann nicht von diesem Schemel herunter.«
»Ist das aber komisch«, sagte Elend. »Warte ein wenig, ich werde dir helfen.«
Und mit diesen Worten ergriff er einen dicken Knotenstock, der hinter der Tür stand, ging auf den Teufel los und schlug rechts und links mit aller Kraft auf ihn ein. Der Teufel brüllte wie ein Stier und flehte um Gnade. Aber Elend hörte nichts; er versetzte ihm Schlag auf Schlag, als wäre er taub. Schließlich rief er ganz außer Atem:
»Du kommst hier nicht hinaus, du Hurensohn, bis du mir versprochen hast, mich noch zehn Jahre in Frieden zu lassen und mir Gold und Silber nach Wunsch zu geben wie bisher.«
»Ich verspreche es dir! Ich verspreche es dir!« rief der Teufel. »Laß mich nur schnell los!«
Und Elend befreite ihn.
Da fing der Schmied wieder an zu leben wie bisher und ließ es sich gut gehen. Ob er Hunden und Katzen sein Geld hinwarf, er fand seine Taschen immer gleich voll. So vergingen diese zehn Jahre ebenso schnell wie die ersten, und eines Tages erschien der Teufel wieder an seiner Tür. Aber er kam nicht mehr allein; er hatte diesmal ein langes Gefolge von Teufelchen hinter sich. Und er sprach zu Elend:
»Nun, Freund, sind wir bereit? Heute, mein Sohn, habe ich meine Leute mitgebracht. Dein Schemel kann uns nichts mehr anhaben. Also nicht lange gefackelt. Siehst du den Weg?«
»Oho!« sagte Elend. »Gibst du mir nicht noch zehn armselige Jahre zu? Dich kostet das doch sehr wenig, und mir wäre es sehr angenehm.«
»Nein, nein«, erwiderte der Teufel barsch, »du predigst tauben Ohren; mach, daß du fertig wirst. Du hast genug Vergnügen gehabt, du Schelm.«
»Nun«, sagte Elend, »wenn es denn sein muß, so laß mich nur schnell meine Angelegenheiten ordnen; dann komme ich. Inzwi-

schen, wenn ihr euch langweilt, könntest du mit deinen Leuten auf den Apfelbaum steigen, der vor der Tür steht, um ein paar Äpfel zu pflücken. Sie sind nicht schlecht. Und laßt es euch gut schmecken. Da ich fort muß, brauche ich keine mehr; warum solltet ihr nicht die Gelegenheit benutzen?«
Die Teufelchen ließen es sich nicht zweimal sagen. Schnell sprangen sie allesamt auf den Apfelbaum, und dort fingen sie an, Äpfel zu essen und Äpfel zu essen, so daß der große Teufel, der unten geblieben war und ihnen zusah, auch Lust darauf bekam. Er rief ihnen zu:
»Werft mir doch einen Apfel herunter, damit ich sehe, ob sie gut sind.«
»Das wäre ja noch schöner«, sagten sie; »mache es doch wie wir. Wenn du Äpfel willst, hole sie dir selber.«
Und nun kletterte der Teufel auch auf den Baum, um Äpfel zu pflücken.
Nur darauf hatte Elend gewartet. Ohne ein Wort zu sagen, nahm er eine lange Eisenstange mit scharfer Spitze, die schon bereitstand, legte sie in die Kohlen und erhitzte die Spitze, bis sie glühte; dann näherte er sich dem Apfelbaum. Als die Teufel das sahen, wollten sie schleunigst herunterklettern, aber sie blieben an den Zweigen hängen und konnten nicht loskommen. Elend aber machte sich ans Werk, stach hierhin und dorthin und briet ihnen den Hintern mit seinem glühenden Eisen, und während er unablässig von einem zum andern lief, stießen sie ein ohrenbetäubendes Gebrüll aus.
»Nun, mein Sohn, wie findest du die Äpfel?« fragte er den alten Teufel, indem er ihn stach. »Du hast dich vor dem Schemel in acht genommen, aber ich habe dich trotzdem gefaßt. Ihr kommt nicht vom Baum herunter, weder du noch deine Leute, bis du mir versprochen hast, mich noch zehn Jahre in Frieden zu lassen und mir Gold und Silber zu geben, soviel ich mag, wie bisher.«
»Ich verspreche es dir! Ich verspreche es dir!« schrie der Teufel ganz bestürzt. »Wenn du uns nur gehen läßt!«
»Kommt also herunter, Gesindel«, sagte Elend, »und macht schleunigst, daß ihr fortkommt; ihr stinkt brandig.«
Und der Teufel und die Teufelchen sprangen alle durcheinander vom Baum, und sich den Hintern reibend, liefen sie dahin zurück, woher sie gekommen waren.
Elend begann also von neuem zu leben wie bisher, glücklich wie die Ratte im Schober. Er ließ es sich gut gehen, besser denn je, ohne daß seine Börse es im geringsten spürte, und was er wollte, das hatte er.
Aber auch diese Jahre gingen vorüber, und eines Tages fanden sich plötzlich der Teufel und ein ganzer Schwarm Teufelchen bei ihm ein, ohne daß er auch nur einen des Weges hatte kom-

men sehen. Da waren große und kleine, schwarze und rote, alles war vom Teufelsgestank verpestet.
»Oho!« rief Elend. »Weiter nichts? Diesmal hast du aber auch keinen zu Hause gelassen.«
»Nein«, erwiderte der Teufel, »denn auf dich ist kein Verlaß, du Schelm! Los, mach dich fertig.«
»Ja, ja«, sagte Elend, »und diesmal habe ich wirklich keine Mühe, dir zu folgen, denn, wahrhaftig, ich habe mein Leben reichlich genossen. Wir können gehen, wann du willst. Und doch, ihr habt mich in eine schöne Furcht versetzt, du und deine Leute, als ihr da so plötzlich vor mir standet, so ganz ohne Warnung, als wäret ihr aus der Erde gestiegen. Wie habt ihr denn das nur gemacht? Ei, wüßte ich nicht, wer ihr seid, so würdet ihr mich beinahe glauben machen, ihr hättet mehr Macht als der liebe Gott.«
Der Teufel warf sich in die Brust und sagte:
»Wir haben nicht mehr Macht als der liebe Gott, aber wir haben ebensoviel. Wir verwandeln uns nach Belieben, wir gehen, wohin wir wollen, ohne daß man uns sieht, wie eng der Platz auch sein mag.«
»O«, sagte Elend, indem er den Kopf schüttelte, »das ist leicht gesagt. Als der liebe Gott hier einmal vorüberkam, versicherte er, daß er und seine Leute sich so klein, so winzig klein machen könnten, daß sie ohne Schwierigkeiten alle miteinander in der Börse Platz fänden.«
»Bah, wenn's weiter nichts ist!« rief der Teufel.
»Willst du mir vielleicht weismachen, daß ihr allesamt zum Beispiel in dieser Börse Platz fändet?«
Bei diesen Worten hatte er die alte Lederbörse aus seiner Tasche gezogen und hielt sie geöffnet in der Hand. Im gleichen Augenblick – husch! – alle Teufel hinein in die Börse, kein Härchen blieb draußen. Und als alle drin waren, rief der Teufel:
»Na, und? Sind wir drin oder sind wir nicht drin?«
Aber der Schmied, ohne zu antworten, zieht sofort die Schnüre fest, dann legt er die Börse auf seinen Amboß und fängt an, mit ganzer Kraft draufloszuhämmern. Und die Teufel in der Börse jammern und schreien:
»Laß uns raus! Laß uns raus! Du schlägst uns tot!«
Das war ein Höllenlärm. Aber je mehr sie schrien, um so heftiger schlug Elend zu, mitleidlos. Schließlich, als er müde war, sagte er:
»Ich schlage euch alle platt wie schöne Silberlinge, ihr Gesindel, wenn ihr mir nicht versprecht, euch hier nicht mehr zu zeigen und mich in Frieden zu lassen, solange es mir gefällt und wie es mir Vergnügen macht.«
»Ich verpreche es dir! Ich verspreche es dir!« brüllte der Teufel.

»Öffne diese Börse!«
Als er so erreicht hatte, was er wollte, öffnete Elend die Börse und die Teufel machten sich aus dem Staub, einer hinter dem andern, grunzend wie die Schweine, und er hat sie nie wiedergesehen.
Und darum ist Elend immer noch auf Erden.

Jeannille

Es war einmal ein junger Leinweber namens Jeannille, der war klug und verständig wie kein zweiter. Jeannille lebte allein mit seiner Mutter, einer alten Witwe, die war genauso klug wie ihr Sohn. Er bildete sich nichts darauf ein, mehr zu wissen als seine Nachbarn. Wenn er jedoch sah, daß sie Dummheiten machten, geriet er in Zorn. Er wünschte, jeder möge so verständig denken wie er.
Seine Mutter sagte oft zu ihm:
»Jeannille, nimm dich in acht. Diese Welt ist eine große Welt. Schon lange regieren darin die Dummen. Und ich glaube nicht, daß dies morgen ein Ende nehmen wird. Nie kannst du alle Gräser zählen, die auf den Wiesen wachsen. Nie kannst du alles Wasser des Baïse-Flusses austrinken. Trachte danach, mit den Lebenden zu leben, und setze dich nicht der Gefahr aus, allein zu bleiben.«
Jeannille antwortete nicht. Aber von seinen Zornausbrüchen konnte er sich nicht befreien. Er wollte nicht begreifen, daß der Böseste immer der Höchste ist und daß die Dummen immer in der Mehrzahl sind.
Eines Tages starb die Witwe. Da dachte Jeannille:
›Ich habe meine Mutter nicht mehr. Das ist ein großes Unglück für mich. Und doch kann ich nicht ganz allein leben. Ich muß mich verheiraten.‹
Als die Trauerzeit vorüber war, verheiratete sich Jeannille, und es war eine schöne Hochzeit. Am folgenden Tag sagte er zu seiner Frau:
»Frau, ich habe Durst. Wir haben keinen Tropfen Wein mehr im Hause. Geh und hole Wasser vom Brunnen.«
Die Frau nahm den Krug und ging zum Brunnen. Eine Stunde später war sie noch nicht zurück.
»Schwiegermutter«, sagte Jeannille, »geht doch einmal hin und seht, was Eure Tochter treibt. Ich muß hierbleiben, aber ich sterbe vor Durst.«
Die Schwiegermutter ging hin und fand ihre Tochter am Brunnen mit dem leeren Krug neben sich.

»Mutter, Ihr kommt sehr gelegen. Jetzt, da ich verheiratet bin, schuldet mir der liebe Gott ein Kind. Leider haben wir keine Wiege zu Hause. Dies gibt mir zu denken.«
»Wir hatten deine, liebe Tochter, aber sie ist schon längst verfault. Diese Wiege war ein Geschenk deiner armen Tante, meiner Schwester. Nie hatte man eine solche Wiege gesehen. Und doch war sie sehr billig.«
Die Mutter setzte sich neben ihre Tochter, und beide fingen an zu schwätzen wie Elstern, immer über die Wiege. Eine Stunde später waren sie noch nicht zu Hause.
»Schwiegervater«, sagte Jeannille, »geht doch einmal hin und seht, was meine Frau und die Eure machen. Ich muß hierbleiben, aber ich sterbe vor Durst.«
Der Schwiegervater ging hin und fand seine Tochter und seine Frau, die saßen am Brunnen und schwatzten. Der leere Krug stand neben ihnen.
»Vater, Ihr kommt sehr gelegen. Ich brauche eine Wiege für den Sohn, den der liebe Gott mir schuldet. Davon sprachen wir, Mutter und ich.«
»Ich sehe«, sagte der Vater, »daß ihr euch nicht einig seid, aber ich habe ein Mittel, den Streit zu schlichten. Es ist nicht wahr, daß die Wiege, die wir hatten, ein Geschenk der armen Schwester meiner Frau war. Ich hatte sie geflochten. Als unsere Tochter groß war, wollte ich die Wiege gegen einen Truthahn eintauschen.«
»Lieber Mann, du weißt nicht, was du sprichst.«
»Frau, ich weiß es besser als du. Ich werde es dir beweisen.«
Der Mann setzte sich zwischen seine Frau und seine Tochter, und sie fuhren fort, über die Wiege zu schwatzen wie die Elstern. Eine Stunde später waren sie immer noch nicht zu Hause.
Da dachte Jeannille:
›Ich habe hier meine Arbeit, aber ich sterbe vor Durst. Auch muß ich erfahren, was aus meiner Frau, meiner Schwiegermutter und meinem Schwiegervater geworden ist.‹
Kurz darauf war er am Brunnen, wo die drei Dummköpfe immer noch wie die Elstern über die Wiege schwatzten. Da wurde Jeannille furchtbar zornig.
»Da sitzen also drei Dummköpfe, die über eine Wiege streiten, und das Kind, das darin schlafen soll, ist noch nicht geboren! Inzwischen sterbe ich vor Durst und arbeite dabei wie ein Galeerensträfling. Nein, mit solchen Leuten kann ich nicht leben! Es ist besser, ich verlasse das Land.«
Und Jeannille ging auf der Stelle fort. Eine Stunde später, als er durch einen großen Wald kam, sah er eine Frau, die verprügelte ihr Schwein mit einem großen Knüppel.
»Du Schwein! Du böses Schwein! Du dummes Schwein! Ich werde dich dein Handwerk lehren!«

Und dabei schlug sie immer weiter mit dem Knüppel auf das arme Tier ein.
»Frau, warum verprügelt Ihr Euer Schwein so sehr?«
»Warum ich es verprügle? Warum ich es verprügle? Stellt Euch vor, daß dieses Tier so wenig Verstand hat, daß es sich unter die Eichen legt, um zu warten, daß die Eicheln herabfallen, anstatt hinaufzuklettern und sie direkt von den Zweigen zu pflükken. Los, du böses Schwein, hinauf auf den Baum! Bum! Bum!«
»Frau, die Schweine sind nicht geschaffen, um auf die Eichen zu klettern. Gebt mir mal Euren Knüppel, dann werdet Ihr sehen.«
Mit einigen Knüppelschlägen holte Jeannille eine viertel Tonne Eicheln herunter, die das Schwein verschlang, ohne eine einzige übrigzulassen.
»Lebt wohl, Frau. Zieht Nutzen aus der Lehre.«
»Danke, Freund.«
Jeannille ging weiter. Eine Stunde später verdüsterten schwarze Wolken den Himmel. Das Gewitter war nicht mehr fern. Auf der Schwelle ihres Hauses stand eine Frau, eine Forke in der Hand, mit der sie versuchte, einen großen Haufen Nüsse unter Dach zu bringen.
»Frau, was tut Ihr da?«
»Was ich tue? Ihr seht es ja. Ich hatte diese grünen Nüsse zum Trocknen in die Sonne gelegt, und ich mühe mich ab, sie ins Haus zu werfen aus Furcht vor dem Gewitter. Aber diese lumpige Forke will nicht ordentlich arbeiten.«
»Frau, stellt Eure Forke beiseite. Bringt mir eine Schaufel.«
Die Frau brachte eine Schaufel. Eine Viertelstunde später hatte Jeannille alle grünen Nüsse unter Dach gebracht. Er wartete das Ende des Gewitters ab.
»Lebt wohl, Frau. Zieht Nutzen aus der Lehre.«
»Danke, Freund.«
Jeannille ging weiter. Eine Stunde später kam er an ein Haus, wo ein Bursche seinen alten, gelähmten Vater anschrie wie ein Adler:
»Dummkopf! Werdet Ihr denn nie lernen, in Eure Hose hineinzukommen? Mehr als hundertmal versucht Ihr's nun schon vergeblich. Los, noch einmal! Steig wieder auf den Tisch. Da, seht! Ich halte die Hose. Los! Und ein bißchen dalli! Springt hinein, und mit beiden Beinen zugleich!«
Der arme alte Mann, da er gelähmt war, stürzte zu Boden, ohne in seine Hose hineinzukommen. Da trat Jeannille herein.
»Bursche, du weißt nicht, wie das gemacht wird. Sieh, so zieht man eine Hose an. Ein Bein zuerst und dann das andere. Schon fertig. Leb wohl. Zieh Nutzen aus der Lehre.«
»Danke, Freund.«
Jeannille ging weiter. Aber nachdem er hundert Schritte gegan-

gen war, setzte er sich unter einen Baum und begann zu grübeln.
»Jetzt bin ich genau vier Stunden unterwegs, und schon habe ich drei Personen gesehen, die noch dümmer sind als meine Frau, meine Schwiegermutter und mein Schwiegervater. Ich habe eine Frau gesehen, die von ihrem Schwein verlangte, es solle auf eine Eiche klettern. Ich sah eine andere, die versuchte, einen großen Haufen Grünnüsse mit einer Forke ins Haus zu werfen. Ich sah einen Burschen, der seinen alten, gelähmten Vater zwingen wollte, in seine Hose zu springen. Meine arme Mutter hatte wirklich recht, wenn sie sagte: ›Diese Welt ist eine große Welt. Schon lange sind die Dummen darin die Herren. Ich glaube nicht, daß dies morgen ein Ende nehmen wird. Nie kannst du alle Gräser zählen, die auf den Wiesen wachsen. Nie kannst du alles Wasser des Baïse-Flusses austrinken. Trachte danach, mit den Lebenden zu leben, und setze dich nicht der Gefahr aus, allein zu bleiben.‹«
Nach diesen Überlegungen kehrte Jeannille in sein Haus zurück.

Der Esel von Montastruc

Hinter der Kirche von Montastruc, einer Gemeinde des Kantons Fleurance (Gers), liegt in nördlicher Richtung ein Teich, der Gemeinschaftsbesitz ist. Hier tränken die Ochsentreiber ihr Vieh, hier waschen die Frauen ihre Wäsche.
Eines Abends, so gegen sechs Uhr, im toten Monat, das heißt im Dezember, spiegelte sich der Mond im Wasser des Teiches wie in einem großen Spiegel. In diesem Augenblick kam ein Mann, um seinen Esel zu tränken. Während das Tier trank, drehte sich plötzlich der Wind und bedeckte den Himmel mit Wolken. Da lief der Mann entsetzt davon und rief: »O mein Gott! O mein Gott! Mein Esel hat den Mond verschluckt! Mein Esel hat den Mond verschluckt!«
Bei diesem Geschrei liefen alle Leute von Montastruc entsetzt zusammen.
»Was sagst du, Unglücklicher?«
»Mein Esel hat den Mond verschluckt! Mein Esel hat den Mond verschluckt!«
Die Leute von Montastruc sahen den Himmel an, dann den Teich und schrien laut und weinten:
»Sein Esel hat den Mond verschluckt! Sein Esel hat den Mond verschluckt!«
Sofort versammelten sich die Ratsherren vor der Kirchentür, um zu beraten.

»Bringt uns den Esel her, der den Mond verschluckt hat!«
Man führte den Esel am Halfter herbei.
»Esel! Du hast also den Mond verschluckt?«
Der Esel hob den Schwanz und begann zu iahen.
»Du hast gut reden; du bist es, der den Mond verschluckt hat. Was sollen wir jetzt machen, um nachts zu sehen?«
Der Esel hob wieder den Schwanz und iahte.
»So wenig machst du dir also aus der Gerechtigkeit. Nun! Wir verurteilen dich zum Tode. Du wirst aufgehängt.«
Zehn Minuten später hing der Esel an einem Baum.
Plötzlich besann sich einer der Ratsherren.
»Freunde«, sagte er, »wir haben unsere Befugnisse überschritten. Gewiß, wir dürfen zum Tode verurteilen; aber wir haben nicht das Recht, hinzurichten. Dieses Recht besitzt allein der Oberrichter von Lectoure. An seiner Stelle würde ich das, was geschehen ist, sehr übelnehmen. Um den Frieden mit ihm zu bewahren, schicken wir ihm eine ordentliche Menge Geflügel. Zugleich lassen wir ihm den toten Esel bringen. Der Oberrichter muß einen Chirurgen kommen lassen, um den gefangenen Mond aus dem Bauch des Tieres zu befreien. In Lectoure haben sie ausziehbare Leitern. Da brauchen sie nur eine an den Saint-Gervais-Glockenturm zu stellen, und ein starker und kühner Schlosser wird schon wissen, wie er den Mond wieder an den Himmel nagelt.«
Gesagt, getan. Sofort zogen zwölf junge Burschen aus Montastruc los, mit Masthähnchen, Kapaunen und Truthähnchen für den Oberrichter beladen. Zwölf andere nahmen eine lange Eichenstange auf die Schultern; daran hing, an den vier Füßen angebunden, der tote Esel.
Bis hinter Fleurance ging alles gut. Dort aber witterten die Wölfe des Waldes von Ramier den toten Esel und kamen in Scharen und heulend herbei, als wären sie vom Teufel besessen. Entsetzt warfen die jungen Leute ihr Geflügel mitsamt dem Esel fort und flüchteten im Galopp nach Montastruc. Im Handumdrehen war das Geflügel verschlungen und der Esel bis auf die Knochen abgenagt.
Am folgenden Abend leuchtete der Mond am Himmel wie gewöhnlich. Da fühlten sich die Ratsherren von Montastruc erleichtert.
»Die Wölfe aus dem Wald von Ramier haben uns einen großen Dienst erwiesen«, sagten sie. »Jetzt, da der Esel gefressen ist, weiß der Oberrichter von Lectoure nicht, daß wir ihn aufgehängt hatten. Was den Mond betrifft, den er verschluckt hatte, so seht ihr, daß er schlauer ist als die Wölfe. Er ist ihnen entwischt und ganz von selbst auf seinen Platz am Himmel zurückgekehrt.«

Turlendu

Turlendu besaß als ganzes Vermögen nur eine Laus. Er ging in ein Haus und bat, man möge ihm doch seine Laus aufbewahren.
»Legt sie nur auf den Tisch«, bekam er zur Antwort.
Nach einigen Tagen kam er zurück, um sie abzuholen.
»Lieber Turlendu, unser Huhn hat die Laus aufgefressen.«
»Ich klage, ich schreie, daß alles bebt, bis Ihr mir Euer Huhn dafür gebt!«
»Schreit nicht und klagt nicht; nehmt das Huhn und macht, daß Ihr fortkommt.«
Turlendu nahm das Huhn und ging in ein anderes Haus.
»Guten Tag, Turlendu. Kommt herein und wärmt Euch auf.«
»Mir ist nicht kalt. Ich möchte Euch fragen: Würdet Ihr mir vielleicht dieses Huhn aufbewahren?«
»Aber gewiß; setzt es nur in den Hühnerstall.«
Nach einigen Tagen kam er zurück, um es abzuholen.
»Lieber Turlendu, neulich ist Euer Huhn in den Schweinestall gefallen, und unser Schwein hat es gefressen.«
»Ich klage, ich schreie, daß alles bebt, bis Ihr mir Euer Schwein dafür gebt!«
»Klagt nicht und schreit nicht; nehmt das Schwein und macht, daß Ihr fortkommt.«
Er nahm das Schwein und ging in ein anderes Haus.
»Guten Tag, Turlendu; kommt herein und wärmt Euch auf.«
»Mir ist nicht kalt; ich möchte Euch fragen: Würdet Ihr mir vielleicht dieses Schwein aufbewahren?«
»Aber gewiß, setzt es nur in den Stall zu den andern Schweinen.«
Nach einigen Tagen kam er zurück, um es abzuholen.
»Lieber Turlendu, neulich ist Euer Schwein unserm Maulesel zu nahe gekommen, und da hat der Maulesel ihm einen Fußtritt gegeben, und da ist es gestorben.«
»Ich klage, ich schreie, daß alles bebt, bis Ihr mir Euren Maulesel gebt!«
»Klagt nicht und schreit nicht; nehmt den Maulesel und macht, daß Ihr fortkommt.«
Er nahm den Maulesel und ging in ein anderes Haus.
»Guten Tag, Turlendu; kommt herein und wärmt Euch auf.«
»Mir ist nicht kalt; ich möchte Euch fragen: Würdet Ihr mir wohl diesen Maulesel aufbewahren?«
»Aber gewiß, laßt ihn nur dort stehen.«
Nach einigen Tagen kam er zurück, um den Maulesel abzuholen.
»Lieber Turlendu, neulich hat das Mädchen ihn zur Tränke geführt, und dabei hat sie ihn in den Brunnen fallen lassen.«

»Ich klage, ich schreie, bis alles bebt, bis Ihr mir dieses Mädchen gebt.«
Er nahm das Mädchen und steckte es in einen Sack. Dann ging er in ein anderes Haus.
»Guten Tag, Turlendu; kommt herein und wärmt Euch auf.«
»Mir ist nicht kalt; ich möchte Euch fragen: Würdet Ihr mir wohl diesen Sack aufbewahren?«
»Aber gewiß; laßt ihn nur dort hinter der Tür stehen.«
Und Turlendu ging fort. Kaum war er draußen, als das junge Mädchen aus dem Sack herauskam. An seiner Statt wurde ein großer Hund hineingesteckt.
Turlendu kam zurück und nahm seinen Sack. Nachdem er ihn eine Weile getragen hatte:
»Du kannst ein wenig laufen«, sagte er; »ich bin zu müde, dich zu tragen.«
Aber als er den Sack aufmachte, sprang ihm der Hund ins Gesicht und biß ihm die Nase ab.
Und Turlendu sagte:
»Vom Läuschen zum Hühnchen; vom Hühnchen zum Schweinchen; vom Schweinchen zum Mauleselchen; vom Mauleselchen zum Mägdelein; vom Mägdelein zu einem großen Hund, der mir die Nase abgebissen hat.«

Hachko

In einem elenden Dorf in Navarra lebte eine sehr arme Familie. Eines Tages wurde das Holz im Hause knapp. Der Vater nahm seine Tochter mit, und sie zogen los, um im Walde Holz zu sammeln.
Als sie dort angelangt waren, nahmen sie verschiedene Richtungen und verabredeten, daß der, welcher als erster sein Bündel beisammen hätte, an einem bestimmten Platz auf den andern warten sollte.
Die Wälder zu jener Zeit waren ganz furchtbar. Das junge Mädchen hatte sein Bündel beinahe beisammen, als plötzlich der Wilde Mann aus dem Walde stürzte, das Mädchen ergriff und es in seine unterirdische Behausung schleppte.
Wie soll man das Entsetzen des armen Kindes und den herzzerreißenden Kummer der Eltern, denen ihre Tochter geraubt worden war, beschreiben?
Die Zeit verging und in der Höhle des Wilden Mannes wurde Hachko geboren. Ein stärkeres Kind hatte man noch nie gesehen. Es war über und über behaart und bedurfte keiner Kleidung.
So blieben sie Jahre hindurch, die Mutter und der Sohn, ohne

daß sie je die unterirdische Höhle verließen. Das Kind war schon sieben Jahre alt.
Eines Tages beginnt Hachko sich Gedanken zu machen und will gern entdecken, wohin der Wilde Mann immer geht. Er klettert und klettert immer höher und kommt schließlich an den Ausgang der Höhle. Durch die Zwischenräume eines ungeheuren Felsblocks sieht er ein Licht, und das ist wunderbar schön. Tief erschrocken über das, was er gesehen hat, steigt er wieder hinab, um seiner Mutter alles zu erzählen. Die arme Mutter fragt ihn zitternd, ob er auch nicht den Fels verrückt habe. Sie seien verloren, wenn der Vater je etwas Derartiges bemerke. Und das Kind antwortet ihr, sie brauche sich nicht im geringsten zu fürchten.
Gerade in diesem Augenblick kehrt der Wilde Mann zurück und fragt schlecht gelaunt:
»Solltet ihr mir den Fels dort oben verrückt haben?«
Sie antworten: »Nein«, und der Wilde Mann geht beruhigt seiner Wege.
Der kleine Junge aber ist ganz hingerissen von dem Licht, das er gesehen hat, und will mit seiner Mutter die Höhle verlassen.
»Aber wer soll den Felsblock wegschieben?«
»Ich, Mutter!«
»Das kannst du doch nicht, Kind.«
»Doch, Mutter, ich kann es, wie ich es das erstemal schon getan habe; ich hatte es dir verschwiegen.«
Sie klettern also die ganze Höhle hinauf. Hachko nimmt den Felsblock in seine behaarten Hände und hebt ihn zuerst hoch; dann stößt er ihn um und wirft ihn den steilen Berghang hinunter. Der Fels stürzt mit wilder Gewalt hinab und zertrümmert alles, was ihm auf seinem Weg begegnet.
Der Wilde Mann hört das ungeheure Getöse. Er fragt sich, ob es nicht der Felsblock seiner Höhle sei, den man hinuntergestoßen hat.
Kaum hat er Hachkos schöne Arbeit gesehen, da stürzt er der Mutter und ihrem Kinde nach. Schon waren sie nahe am Dorf, als die arme Mutter bemerkt, daß der Wilde Mann sie verfolgt. Was tut sie? Sie stößt gellende Schreie aus. Als man sie hört, glaubt man, da draußen sei irgendeine Teufelei im Gange, und sofort rühren sie die Trommeln und die Glocken des Dorfes und machen rasenden Lärm. Vor solchem Getöse ergriff der Wilde Mann die Flucht und verließ für immer diese Gegend.
Da sind sie also im Dorfe angelangt. Die Freude der armen Mutter! Alle sehen sich das Kind an und sind ganz verblüfft. Es war damals acht Jahre alt. Es bekommt Kleider und wird in die Schule geschickt.
In den ersten Tagen fragten sich alle Kinder ganz bestürzt, wer, zum Teufel, wohl dieser furchtbare Kamerad sein mochte, dem

aus den Kleidern lange Haare hingen. Dann gewöhnten sie sich an ihn, und schon ziehen sie ihn an den Haaren, der eine hier, der andere da. Eine Zeitlang ertrug Hachko all diese Quälereien. Schließlich aber wird unser Junge böse. Eines Tages sagt er zu seiner Mutter:
»Mutter, die rotznasigen Kameraden hören nicht auf, mich an den Haaren zu ziehen, einmal hier, einmal da. Ihr werdet noch sehen, daß ich die Hälfte von ihnen umbringe.«
»Ich verbiete dir, so etwas zu tun!«
Am folgenden Tag geht er also wieder in die Schule. Aber die Hänseleien beginnen von neuem, schlimmer denn je. Da wird unser Hachko böse: er packt einen beim Kreuz und schlägt mit ihm um sich, wohin es trifft. Nie hatte man ein solches Geschrei gehört. Es gab Tote und Verletzte. Der Schulmeister ergriff die Flucht, indem er durchs Fenster sprang; es konnte gar nicht schnell genug gehen.
Hachko kehrte nicht mehr in die Schule zurück. Einige Jahre lang blieb er zu Hause. Eines Tages aber sagte er zu seiner Mutter, er müsse ausziehen, um sein Glück zu machen. Man möge ihm einen handfesten Stock zurechtschneiden. Man bringt ihm einen, etwa zwei Zentner schwer. Aber er findet, das sei ein Pappenstiel. Man bringt ihm einen andern, etwa zwölf Zentner schwer. Er hebt ihn hoch, und der scheint einigermaßen zu genügen. Und schon ist Hachko unterwegs und schwingt seinen Stock, daß es nur so pfeift. Während er so seines Weges zieht, begegnet ihm ein Mann.
»Guten Tag, Freund!«
»Guten Tag, Euch desgleichen. Aber so was! Ihr scheint mir ein tüchtiger Kerl zu sein, daß Ihr einen solchen Stock handhaben könnt.«
»Ja, nicht schlecht. Er ist nicht sonderlich schwer, nur etwa zwölf Zentner.«
»Das heißt, ich bin auch stark. Wenn ich wollte, könnte ich Euch mit einem Atemzug umblasen ... Aber ich tu's nicht. Lieber werfe ich die Eiche dort um.«
Und während er eines seiner Nasenlöcher zustopft, macht er sich ans Werk. Krach! Die Eiche stürzt, die Wurzeln ragen in die Luft.
Als Hachko sieht, wie stark der Bursche ist, fragt er ihn, ob er mit ihm kommen wolle, denn er sei ausgezogen, um sein Glück zu machen. Und der andere willigt ein: herzlich gern will er mit ihm gehen.
Da sind sie also beide unterwegs. Während sie so munter dahinschreiten, kreuzen sie einen Mann, der mit einem Mühlstein und mit riesigen Stöpseln spielt.
»Guten Tag, Freund.«
»Guten Tag, euch desgleichen.«

Man redet über dies und jenes. Dann sagt Hachko zu ihm: »Ihr solltet mit uns kommen, Ihr wäret ganz am rechten Platz.«
»Wohin geht ihr denn?«
»Unser Glück machen.«
»Ja, gut; herzlich gern.«
Und da machen sich also Hachko und seine Gefährten auf, um das Glück zu suchen. Schon hatten sie eine gute Wegstrecke zurückgelegt und begannen Hunger zu spüren, als sie eine Schäferei bemerkten. Sie gehen dort hinein und sehen den Schäfer, der mit seinen Schafen beschäftigt ist.
»Sei gegrüßt, Freund!«
»Ihr desgleichen, Meister!«
Nachdem sie so Grüße ausgetauscht haben und keine Lust zum Schwatzen spüren, fragen sie den Schäfer, ob er nichts zu essen habe, sie seien hungrig.
»Zwar nicht viel, aber da habe ich gerade ein Maß voll Mais aus der Mühle heimgebracht. Ich kann euch einige Fladen daraus zubereiten, wenn ihr wollt.«
»Aber ja, sehr gern.«
Und der brave Schäfer schickt sich an, seine Fladen zu machen. Sobald einer fertig war, aßen sie ihn. Auf diese Weise verschlangen sie siebzehn, so daß der Schäfer sich vor Staunen nicht fassen konnte.
Nachdem der Hunger einigermaßen gestillt war, sagte Hachko zu ihm, sie seien ausgezogen, um ihr Glück zu machen. Wo sie nach seiner Meinung wohl am ehesten dazu kommen könnten? Der Schäfer erwiderte, es sei dort ein schönes Schloß in der Gegend, ein wenig weiter unten, von einem eisernen Wall umgeben, mit schönen Portalen an der Vorderseite.
»Ich muß euch jedoch sagen, daß nie jemand hineingekommen ist, denn dieses Schloß ist eine Teufelswohnstatt. Aber wie ich sehe, seid ihr Männer, wie man sie nur selten trifft. Mir scheint, wenn überhaupt jemand, dann werdet ihr die Sache meistern.«
Und schon sind unsere drei Männer unterwegs.
Wie der Schäfer es ihnen gesagt hatte, kommen sie zu dem bewußten Schloß. Nachdem sie überlegt haben, wie sie es am besten anzufangen hätten, versucht der Bläser es zuerst. Vergebliche Mühe. Die Portale bleiben stehen, obwohl er ordentlich daran rüttelt. Jetzt ist die Reihe an Stöpsel. Er nimmt sein Mühlrad, läßt es pfeifen und schleudert es mit wildem Schwung. Ein Stück der Mauer stürzt ein, aber es genügt nicht, um hineinzukommen. Jetzt ist also die Reihe an Hachko. Er tritt zwanzig Schritte zurück, um einen Anlauf zu nehmen, und schleudert mit aller Kraft seinen Knüppel. Holterdiepolter! Die Portale stürzen ein. Alle drei gehen ins Schloß. Kein Mensch ist zu sehen. Sie suchen hier, sie stöbern da: überall Säcke voll Gold.

Sie gehen in die Küche. Da stehen fünf oder sechs Töpfe am Feuer. In dem einen ist ein Huhn, im anderen eine Ente, im dritten ein Hähnchen, und ich weiß nicht mehr, was noch ... Dann decken sie den Tisch, und als es Mittag ist, sitzen sie da und essen, als ob sie nicht bereits siebzehn Fladen verschlungen hätten. Sie essen und essen in einem fort. Gott weiß, was sie alles hinunterschlingen. Als es Abend wurde, saßen sie immer noch bei Tisch.
Dann schickten sie sich an, für jeden ein schönes Zimmer zu suchen. Nach einem solchen Mahl ein schönes weißes Bett! Welch ein Glück! ... Dies war die schönste Nacht ihres Lebens.
Am folgenden Tag standen sie gegen acht Uhr auf.
Der Bläser blieb zu Hause, um die Mahlzeit zuzubereiten, während die beiden andern auf die Jagd gingen. Sie hatten verabredet, daß der Bläser zur verabredeten Zeit eine Glocke läuten werde.
Der Bläser macht sich also an die Arbeit, um ein Mahl zuzubereiten, von dem man sagen könnte:
»Aber was ist denn das?«
So gegen zehn Uhr hörte er, daß jemand an die Tür klopft. Bum, bum, bum. Er geht hin. Da steht ein alter Bettler. Er schneidet eine dicke Scheibe Brot ab und gibt sie ihm. Der alte Bettler tut, als falle ihm das Brot aus der Hand. Der Bläser, aus Mitleid für sein Alter, bückt sich, um es aufzuheben. Aber kaum hat er sich niedergebeugt, als der Teufel ihm plötzlich auf den Rücken springt. Eine ganze Weile blieb der Kampf unentschieden. Dann aber bekam der Bettler die Oberhand. Der Teufel ergriff das große Küchenmesser, das der Bläser noch einen Augenblick zuvor in der Hand gehalten hatte, schneidet den armen Mann in Stücke und wirft ihn in einen Topf. Dann geht er fort. Das war so etwa um zwei Uhr. Unterdessen hörten unsere Jäger keine Glocke, und sie waren sehr hungrig. Sie kehren also heim, weil sie wissen möchten, was los ist. Und nirgends war ihr Freund zu sehen. Sie suchten in den Töpfen, und was finden sie da? Ihren Kameraden in Stücke geschnitten. Aber Hachko hatte die Macht, die Toten wieder aufzuwecken. Sorgfältig fügt er Stück an Stück, dann macht er einen gewissen Hokuspokus, und schon wird der Tote wieder lebendig. Der Bläser steht also wieder da und erzählt seinen Freunden alles, was geschehen ist.
Am folgenden Morgen war die Reihe an Stöpsel, die Mahlzeit zuzubereiten. Und tatsächlich hat er genau das gleiche Abenteuer. Da sie nichts hörten, kamen die Jäger hungrig und ungeduldig über die Verspätung zurück. Jetzt war der arme Stöpsel im Kochtopf. Hachko macht auch ihn wieder lebendig.
Diesmal ist an Hachko die Reihe, das Haus zu hüten. Seine

Freunde wollen ihn nicht allein lassen, denn wenn Hachko tot ist, können sie ihn nicht wieder lebendig machen. Aber Hachko schickt sie fort ohne die geringste Furcht: sie sollen nur ganz ruhig gehen.
Immer zur gleichen Stunde, bum, bum, bum, wird an die Tür geklopft. Hachko geht hin. Da steht wieder derselbe alte Bettler. Hachko gibt ihm eine schöne Scheibe Brot und sagt mit ernster Miene:
»Hier, mein Freund.«
Der Greis läßt das Brot fallen und bittet Hachko, es ihm aufzuheben. Ganz trocken antwortet Hachko:
»Oh, wenn Ihr's wirklich nötig habt, dann werdet Ihr's schon selbst aufheben.« Und er geht wieder an seine Arbeit.
Der alte Dämon läuft hinter ihm her und packt ihn mit starkem Griff. Aber es ist vergebliche Mühe: es gelingt ihm nicht, Hachko niederzuwerfen wie die andern. Während eines Augenblicks ist es ein furchtbarer Kampf. Dann gibt der Teufel auf und will durch den Kamin flüchten. Da nimmt Hachko eine Hebestange und durchbohrt ihn von hinten damit, und so ist der Teufel erledigt. Dann wendet Hachko sich pfeifend wieder seiner Arbeit zu, denn er will sein Mahl pünktlich bereit haben. Als er beinahe fertig ist, sieht er nach der Uhr.
»Viertel vor zwölf! Ach was, bevor sie hier sind, ist es Zeit.«
Und er setzt die Glocke in Bewegung: Bim-bam, bim-bam.
Erschrocken sehen sich die Jäger an und wissen nicht, was sie davon denken sollen. Sie kommen schleunigst zurück, um zu sehen, was los ist. Und da stehen sie vor Hachko, der schon den Tisch gedeckt hat und dabei ist, die Suppe einzufüllen.
»Dann ist also heute kein Bettler gekommen?«
»Wie konnte diese kleine Rotznase euch bezwingen? Aber, aber! Setzt euch und eßt in aller Ruhe. Der tut euch nichts mehr: ich habe ihn dort zum Garten hinausgeworfen.«
So verbrachten sie einige Tage; der eine bereitete die Mahlzeiten, die andern gingen auf die Jagd. Aber sie hatten noch nicht das ganze Haus durchsucht. Sie durchstöberten also einen Raum nach dem andern. In der oberen Etage entdecken sie zwölf Greise mit Bärten, die bis auf den Boden herabhängen. Sie saßen alle um einen Tisch herum. Der Bläser bläst drauflos, Stöpsel nimmt sein Mühlenrad und Hachko seine Keule, und im Handumdrehen sind die zwölf alten Dämonen massakriert. Von jetzt an sind Hachko und seine Freunde die Herren des Schlosses. Aber sie sahen nie einen Menschen, und ein solches Leben langweilte sie sehr schnell. Sie beschlossen, ins Dorf zurückzukehren. Jeder von ihnen nahm zwei bis drei Säcke Gold mit sich. Und da sie sich des Schäfers vom Berge erinnerten, gaben sie auch ihm zwölftausend Franken.
Und da sind nun unsere Burschen wieder ins Dorf zurückge-

kehrt, reich, sehr reich. Sie hatten ihr Glück gemacht. Dieses Abenteuer erregte großes Aufsehen im Ort und in der Umgebung. Auf den Rat der Priester und anderer hoher Leute verheirateten sich alle drei. Und wenn sie gut gelebt haben, sind sie auch gut gestorben.

Trentekutchilo

Eines Tages, zur Zeit, da der Herr Jesus und Sankt Peter das Baskenland durchwanderten, begegneten sie einem alten Soldaten, der bettelte, denn er hatte eine leichte Verwundung.
Der alte Soldat bat also den Herrn Jesus um ein Almosen. Und der Herr erwiderte ihm, er habe zwar kein Geld, aber etwas schenken möchte er ihm doch.
»Was willst du lieber, jetzt gleich einen Sack oder später den Himmel?«
Und Sankt Peter flüstert ihm leise ins Ohr:
»Nimm den Himmel . . . den Himmel!«
Aber der Mann antwortete ihm laut:
»Ihr habt gut reden! . . . Wenn man nicht leben müßte, bevor man in den Himmel kommt, ja! . . . Herr, bitte gebt mir einen Sack.«
Und der Herr Jesus sprach, indem er ihm einen Sack reichte:
»Wenn du irgend etwas brauchst, dann sage nur zu ihm: ›Trentekutchilo!‹«
»Guten Tag und tausend Dank!« So zog unser Mann von dannen, während Sankt Peter ihn leise schalt. Und gleich darauf kam da ein Bäcker mit einem Wagen daher, vollgeladen mit Broten, die noch ganz warm waren. Der alte Soldat bat den Bäcker um ein Stück Brot.
»Denkst du vielleicht, ich hätte meine Brote für dich gebacken? Du kriegst keins. Geh nur weiter.«
»Aha! Ist das so?« . . . Und gleich rief der Bettler: »Trentekutchilo!«, und im Nu war der Sack voll Brot. Lustig zog unser Mann weiter und hatte Proviant für mehrere Tage.
Bald darauf kam ein Steuereinnehmer des Weges; der führte einen Esel mit sich, der vollbeladen war mit Geld. Und unser Mann rief ihm zu:
»Ach bitte, schenkt mir doch ein paar Groschen!«
»Ein paar Groschen! Das wäre ja noch schöner! Nicht mal einen Pfennig kriegst du! Denkst du vielleicht, ich hätte all dies Geld für deine hübsche Visage zusammengebracht?«
Mit solchen Worten kam er gerade recht. Der alte Soldat rief sofort: »Trentekutchilo!« Und im Nu war sein Sack voller Goldstücke.

So war er für immer reich. Bald danach verheiratete er sich. Und er lebte glücklich und machte täglich in aller Zufriedenheit seinen Spaziergang. Aber eines Tages fiel ihm auf, daß seine Frau finster dreinschaute und von Tag zu Tag dahinsiechte.
»Was ist nur mit dir, daß du so traurig dreinschaust? Hast du denn nicht alles, was dein Herz begehrt?«
Seine Frau wagte zuerst nicht, sich ihm anzuvertrauen, aber schließlich gestand sie, daß jedesmal, wenn er das Haus verließ, ein großer, häßlicher Mann, ein Ungeheuer, hereinkäme und ihr furchtbare Angst mache.
Am folgenden Tag tat der alte Soldat nur so, als ob er ausginge, und versteckte sich hinter der Tür.
Sofort kam das Scheusal herein. Der Veteran rief: »Trentekutchilo!« Und im Nu verschwand das Ungeheuer im Sack, den Kopf voran. Der Soldat schlug drauflos und versetzte ihm solche Hiebe, daß er es schließlich tötete.
Dann trug er die Knochen des Scheusals zu dem Dorfschmied, damit dieser etwas daraus mache.
Der Schmied wollte ein Kreuz daraus machen, aber wie er's auch anpackte, er brachte es nicht zustande. Und so kamen sie zur Überzeugung, daß das sogenannte Scheusal ein Dämon gewesen sein müßte.
Schließlich starb der Veteran an Altersschwäche. Aber bevor er starb, bat er seine Frau, ihm doch den Sack in den Sarg mitzugeben.
So begab er sich mit seinem Sack ans Himmelstor.
Aber Sankt Peter, ohne das Tor auch nur einen Spalt breit zu öffnen, sah ihn sich erst durch ein Guckloch an, und da er den Mann sofort erkannte, rief er:
»Wohin willst denn du? In den Himmel? Du, in den Himmel? Als der Herr dir damals die Wahl ließ zwischen dem Himmel und einem elenden Sack, da warst du schnell dabei, den Himmel für den Sack fahrenzulassen. Geh jetzt mit deinem Sack, wohin du willst.«
Und heftig schlug er das Fensterchen zu.
Der arme Mann ging also in die Hölle. Aber sofort sprangen ihm unzählige Teufelchen entgegen, die spitze Gabeln gegen ihn zückten und schrien:
»Wohin willst du? In die Hölle? Du Schuft! Erst vor wenigen Jahren, als du noch auf Erden warst, hast du unsern Vater umgebracht. Mach, daß du fortkommst, wenn du klug bist, und beeile dich!«
Also kehrte er in die Himmelsgegend zurück.
Diesmal hatte Sankt Peter aus Unachtsamkeit die Tür einen Spalt breit offengelassen. Der alte Soldat ging also ins Paradies hinein.
Aber es dauerte nicht lange, da sah Sankt Peter ihn und rief, er möge schleunigst das Feld räumen!

Unser Mann hätte gern ein Wort gesagt, aber Sankt Peter wollte nichts hören. Da der alte Soldat nicht mehr aus noch ein wußte, rief er: »Trentekutchilo!« Und Sankt Peter sprang hin und her — er wollte ja nicht in den Sack hinein. Aber Gott verzeih mir! Ob er wollte oder nicht, er mußte hinein, denn so hatte es der Herr Jesus einst bestimmt.
Unterdessen war die Heilige Jungfrau herbeigeeilt, um sich diesen Auftritt anzusehen.
Sie hörte die Gründe des alten Soldaten, und mit einem Lächeln brachte sie sofort alles in Ordnung. Sie befreite Sankt Peter, beruhigte ihn liebevoll und ließ den Soldaten in den Himmel hinein.
Sollten wir eines Tages selbst in den Himmel kommen, können wir ihn dort sehen; er steht dicht neben der Tür, auf der rechten Seite.

Die faule Frau und die Flöhe

Das ist also jetzt schon sehr lange her, da soll es auf den Höhen von Hergaray eine ausgezeichnete Quelle gegeben haben, die Ur-onttoa (das gute Wässerchen) genannt wurde. Ganz in der Nähe von Ur-onttoa lebte eine Frau, die war faul, aber so faul ... kurz, eine abgefeimte Faulenzerin. Sie verrichtete nie die allergeringste Arbeit, ganz als ob sie von dem guten Wässerchen gelebt hätte — hurrup und klick —, das heißt, sie trank es und schluckte es hinunter.
Der liebe Gott war es schließlich müde, sie so faul zu sehen wie einen Siebenschläfer, und um diese widerwärtige Frau zu zwingen, endlich etwas zu tun, schuf er ... die beiden ersten Flöhe. Und im Nu kamen unzählige andere zur Welt.
Von jetzt an hatte die Frau Arbeit; wenigstens mußte sie auf die Flohjagd gehen.
Unglücklicherweise tötete sie nicht alle, sie war ja so faul, und da die Flöhe auf alle Männer und Frauen gesprungen waren, die an Ur-onttoa vorüberkamen, so gibt es jetzt überall Flöhe, es gibt sie myriadenweise.

Die Kassette

Ein Mann und eine Frau, die schon alt waren, lebten in einem Haus am Wegrand. Sie waren arm und verdienten ihr Leben mit Landarbeit.
Eines Tages, als sie nach Hause gingen, fanden sie längs des Weges eine Kassette, die gewiß aus einem Reisewagen gefallen

war. Sie nahmen sie mit nach Hause. Als sie sie öffneten, fanden sie, daß die Kassette bis zum Rande mit Gold- und Silberstücken und kostbaren Schmucksachen angefüllt war.
»Das ist bestimmt ein Vermögen wert«, sagte der Mann. »So ein Pech, daß wir es den Leuten zurückgeben müssen, die es verloren haben, sobald sie es reklamieren.«
»Ich denke gar nicht daran, es zurückzugeben«, sagte die Frau. »Wenn es reklamiert werden sollte, sage ich, wir hätten nichts gefunden.«
»O!« erwiderte der Mann. »Das hieße ja lügen und stehlen. Ich sage, daß wir es gefunden haben.«
Die Frau widersprach nicht, aber sie traf ihre Vorsichtsmaßnahmen.
Am folgenden Tag, sehr früh am Morgen, sobald sie aufgestanden waren, sagte sie zu ihrem Mann:
»Wer weiß, wenn niemand die Kassette zurückfordert, sind wir vielleicht bald reich, und du kannst nicht einmal lesen und schreiben. Du mußt in die Schule gehen, um es zu lernen, und gleich von heute morgen an.«
»Wie stellst du dir das vor? Ich in meinem Alter soll noch lernen? Die Schulbuben werden sich über mich lustig machen und mich für einen Trottel halten.«
Aber die Frau bestand so fest darauf, daß er schließlich nachgab. Sie machte ihm ein Frühstückskörbchen zurecht, ›wie für die Buben, die in die Schule gehen‹, und er zog los.
Als er abends nach Hause kam, wartete seine Frau schon auf ihn. Sie hatte Eierkuchen und Krapfen gebacken, und als sie ihn kommen sah, war sie schnell auf den Speicher gestiegen und warf sie aus dem Bodenfenster hinaus. Der Mann glaubte nichts anderes, als daß die Eierkuchen und Krapfen vom Himmel fielen, und rief:
»Frau, Frau, es regnet Eierkuchen! Frau, Frau, es regnet Krapfen!«
»Na, dann iß doch, wenn du magst«, erwiderte sie.
Dann erzählte er, der Lehrer hätte ihn nicht hereinlassen wollen, die Schulbuben wären über seinen Frühstückskorb hergefallen und hätten sich über ihn lustig gemacht.
Todmüde aß er seine Suppe; dann ging er zu Bett.
Als er eingeschlafen war, legte seine Frau ihm ein Hühnerei ins Bett. Als er aufwachte, fühlte er, daß da etwas neben ihm lag, und er fand das Ei.
»Frau, Frau, ich habe ein Hühnerei gelegt!«
»Na, Alter, du machst wohl unsern Hühnern Konkurrenz!«
Einige Tage später kamen zwei feine Herren zu ihnen ins Haus und fragten, ob sie nicht eine Kassette gefunden hätten.
»Nein, gute Herren, wir haben nichts gefunden«, sagte die Frau.

»Doch, doch«, sagte der Mann, »wir haben eine Kassette gefunden; sie ist hier.«
»Ach, gute Herren«, sagte die Frau, »was habe ich für Pech! Mein armer Mann ist nicht mehr richtig im Kopf. Er ist wieder in der Kindheit. Fragt ihn doch, ob er noch weiß, wann wir die Kassette gefunden haben.«
»Ja«, sagte er, »das war am Tage, bevor ich zum ersten Male in die Schule ging. Abends regnete es Eierkuchen und Krapfen, und in der Nacht darauf habe ich ein Hühnerei gelegt.«
»Ach, gute Frau«, sagten die Herren, »wir sehen, welch großes Pech Ihr habt, denn Euer Mann ist nicht ganz richtig im Kopf.«
Und sie gingen fort und schenkten ihr einige Münzen, als wäre sie eine arme, unglückliche Frau.

Schwänke:

Der Stumpfling und der Neger

Ein Stumpfling, Reisender in Metallen, stieg eines Abends in einer Herberge in Saint-Sever ab und bat um ein Nachtmahl und um Unterkunft. Der Wirt erwiderte, er könne seinen Wunsch nicht erfüllen, alle Betten seien besetzt.
Der Stumpfling aber gab nicht nach und versicherte, er könne sich mit dem geringsten Sessel begnügen; denn er müsse schon sehr früh aufstehen, um seine Reise fortzusetzen.
Da schlug ihm der Wirt vor, das Bett eines Negers zu teilen, der seit zwei Tagen im Hause war und jetzt in tiefem Schlaf lag.
Zuerst zögerte der Stumpfling, als aber der Wirt ihm versicherte, der Neger würde ihn bestimmt nicht fressen, willigte er ein. Der Wirt mußte ihm versprechen, ihn bei Tagesanbruch zu wekken.
Als der Stumpfling eingeschlafen war, schmierte der Wirt ihm das Gesicht über und über mit Kohle ein, und am Morgen weckte er ihn zur verabredeten Stunde. Schnell stand der Stumpfling auf, zog sich an und sah in den Spiegel. Wie groß aber war seine Verblüffung, als er dort ein Gesicht erblickte, wie man es sich schwärzer nicht denken kann.
»Jetzt verstehe ich, was los ist«, sagte er nach kurzer Überlegung; »der Wirt hat sich geirrt, anstatt mich zu wecken, hat er den Neger geweckt. Ich lege mich wieder schlafen.«
Und der Stumpfling zog sich aus, legte sich zu Bett und schlief wieder ein.

Die bestohlenen Diebe

Zwei brave Stumpflinge, die schon seit langem ihre Stadt verlassen hatten, um in Coutances ihr Glück zu versuchen, pilgerten an die Stätte ihrer Geburt zurück; sie waren nicht reicher als damals, als sie auszogen. Da sahen sie eine Börse auf dem Weg, deren praller Bauch ihnen wohlgefiel.
Sie schauten sich um, ob sie unbeobachtet waren; dann, die Börse ergreifen, sich ihres Inhaltes versichern, war Sache eines Augenblicks.
Die beiden Freunde brachen in ein Freudengeschrei aus, als sie feststellten, daß die Börse zweihundert Louisdors enthielt. Es braucht nicht erwähnt zu werden, daß diese braven Normannen keinen Augenblick daran dachten, nach dem Besitzer der Börse zu fahnden: sie waren würdige Söhne jener Stadt, wo die Hunde ihren Herrn nie in den Straßen suchen, sondern am Galgen des Ortes. Sie dachten lediglich darüber nach, wie sie den besten Nutzen aus ihrem Fund ziehen konnten.
Aber die beiden Diebe blieben sich nicht lange einig; sie steckten nicht unter einer Decke. Sie stritten nicht etwa wegen der Verwendung des Geldes, sondern allein wegen der Teilung. Der eine behauptete, er hätte die Börse zuerst gesehen und darum gebühre ihm ein größerer Anteil als seinem Freunde. Der andere stellte nicht geringere Ansprüche als sein Kumpan, indem er vorbrachte, er hätte den Rat gegeben, die Börse zu behalten, und dieser Rat sei wohl etwas wert.
Während sie so ihres Weges gingen, stritten die beiden Freunde so laut, daß ein Bauer aus Sainte-Cécile ihre Unterhaltung hörte und ihnen das Angebot machte, den Streit zu schlichten.
Die beiden Stumpflinge hätten sich gern taub gestellt, aber der Mann schien nicht geneigt, lockerzulassen, im Gegenteil, er forderte sie auf, seinem Rat zuzustimmen, sonst brauche er nur den Oberamtsrichter von Villedieu zu benachrichtigen, der sich des Falles annehmen würde.
Von diesem Redeschwall überzeugt, wollten die beiden Stumpflinge nun seinen Rat hören. Der Bauer riet ihnen, die Börse nicht nach Villedieu mitzunehmen, denn sie würden nur die Habgier ihrer Landsleute herausfordern. Er zeigte ihnen eine hohe Pappel, auf der sich ein großes Elsternnest befand. Dort, sagte er, sollten sie nur ruhig ihre Börse verstecken und sie bei ihrer Rückkehr wieder an sich nehmen. Zur Schlichtung ihres Streites schlug er ihnen vor, dann später zu losen: wer den kürzeren Strohhalm zöge, bekäme den geringeren Teil des Goldes.
Die Stumpflinge willigten mit Freuden in diesen Vorschlag ein. Der eine kletterte auf die Pappel, legte die gefüllte Börse in das Nest, versicherte sich, daß niemand ihn beobachtete, und stieg wieder hinunter.

»Gevatter«, sagte er zu seinem Freund, »wir können ruhig schlafen; niemand hat mich gesehen.«
»Um so besser, Gevatter. Nur traue ich der Kuh nicht ganz, die dort auf dem Felde grast; sie sah sehr neugierig zu, als du auf den Baum stiegst. Daß die uns nur nicht verrät!«
»Gevatter, du verlierst den Kopf. Du weißt doch, daß Kühe nicht reden können. Übrigens, wie sollte sie ahnen, warum ich hinaufgeklettert bin.«
»Du hast recht, Gevatter, ich verlasse mich auf dich.«
Die Stumpflinge verließen also den Bauern von Sainte-Cécile und kamen in die Stadt Villedieu-les Poêles.
Es braucht nicht gesagt zu werden, daß der räuberische Bauer hurtig auf den Baum stieg, die Börse mit den Goldstücken an sich nahm, dann, um den Stumpflingen eine wohlriechende Erinnerung an das Nest zu geben, legte er einen ordentlichen Klumpen Kuhmist hinein.
Die Stumpflinge blieben zwei, drei Tage in der Stadt, um ihre Freunde zu besuchen. Dann kehrten sie auf dem Weg nach Coutances zurück. Am Fuß der Pappel angelangt, kletterte einer von ihnen auf den Baum. Aber welch furchtbare Überraschung! Anstatt die Börse mit den Goldstücken zu ergreifen, zog er seine Hand mit einer Materie beschmiert heraus, deren Gestank sich weithin verbreitete; er begriff nicht, wie dieser seltsame Tausch vor sich gegangen sein konnte.
Der andere raufte sich aus Verzweiflung die Haare. Er sagte in einem fort:
»Gevatter, ich hatte es dir ja gesagt, daß die Kuh mir kein Vertrauen einflößte. Sie sah einen so komisch an, und sie ist es, die uns diesen verfluchten Streich gespielt hat.«
»Glaubst du wirklich, Gevatter, daß es die Kuh war?«
»Na, hör mal; wer soll es denn sonst gewesen sein? Sie allein hat uns gesehen, und nicht genug damit, daß sie uns bestohlen hat, sie hat sich auch noch über uns lustig gemacht.«
»Zugegeben, Gevatter, da du es sagst, daß die Kuh auf die Pappel geklettert ist; aber was ich nicht verstehe, ist, wie sie oben auf dem Baum den Hintern umgedreht haben soll, um ins Nest zu scheißen.«

Der liebe Gott von Villedieu

Die Kirche von Villedieu-les-Poêles hatte keinen großen Christus am Eingang zu ihrem Querschiff, und so wurde beschlossen, einen in Coutances zu kaufen.
Zwei Stumpflinge wurden damit beauftragt, und es wurde ihnen ausdrücklich eingeschärft, nicht zu handeln, sondern den geforderten Preis zu zahlen.
So zogen sie eines schönen Morgens los, plauderten über dies

und jenes, als der eine sich an den Grund ihrer Reise erinnerte und zu seinem Gefährten sprach:
»Gevatter, an eine Sache haben wir nicht gedacht. Wir kaufen einen lieben Gott, aber soll er tot oder lebendig sein?«
»Gevatter, Ihr habt recht. Nun sind wir schon weit fort von Villedieu. Kehren wir um, dann dauert unsere Reise zwei Tage anstatt einen Tag. Beten wir zu dem heiligen Venant, er wird uns schon einen guten Gedanken eingeben.«
Die beiden Freunde knieten auf der Straße nieder und riefen den heiligen Venant an.
Nach kurzer Zeit stand der eine Stumpfling auf und sagte zum andern: »Gevatter, wir sind gerettet; wir kaufen ihn lebendig, wenn unser Pfarrer ihn tot haben will, dann kann er ihn ja totmachen.«

Vierzehn

Ein Herr nahm einen Diener ins Haus, der hieß Vierzehn. Er sollte ihm dienen, bis der Kuckuck ruft. Außerdem wurde abgemacht, daß, wenn einer von beiden mit dem andern unzufrieden sei, dieser ihm einen drei Finger breiten Hautstreifen, den ganzen Rükken hinunter, vom Nacken bis zum Gesäß abziehen dürfe.
Dann schickte der Herr ihn zur Arbeit aufs Feld. Er sprach:
»Du weißt, daß du nicht nach Hause kommen darfst, bevor der Hund nach Hause geht.«
Denn er hatte ihm einen Hund mitgegeben. Als Essen für den ganzen Tag bekam er ein Ei. Als Essenszeit war, wollte der Hund nicht nach Hause gehen.
»Ob das wohl lange so weitergeht?« fragte sich Vierzehn.
Das hörte sein Herr und fragte:
»Sag mal, Vierzehn, bist du nicht zufrieden?«
»Nicht so ganz.«
»Leg dich hin, damit ich dir die Haut abziehe.«
Und er zog ihm einen Streifen Haut herunter, vom Nacken bis zum Gesäß.
Vierzehn kam weinend nach Hause.
»Nun!« rief sein Bruder. »Warum hast du dir die Haut abziehen lassen?«
Und Vierzehn erzählte, was geschehen war.
»Warte«, sagte sein Bruder, »ich gehe hin und bringe dir genug Haut mit, um deine zu ersetzen.«
Der Bruder suchte also den Herrn auf und sagte zu ihm:
»Sagt, Herr, braucht Ihr vielleicht einen Diener?«
»Ja«, antwortete der Herr, »ich brauche einen Diener, bis der Kuckuck ruft.«

»Das paßt mir gut«, sagte er. »Wir sind uns einig zu den gleichen Bedingungen, wie sie mein Bruder gehabt hat.«
Er bekam das gleiche Essen, ein Ei für den Tag. Er nahm den Hund mit, als er auf das Feld ging, um zu arbeiten. Die ersten zwei Tage ging es gut. Am dritten Tag packte er den Hund beim Halsband und spannte ihn vor seinen Pflug. Er sagte: »Du wirst genau so viele Runden machen wie ich.«
Bei der zweiten Runde machte der Hund sich los und lief nach Hause. Der Diener spannte seine Pferde aus und folgte ihm.
»Nanu«, sagte der Herr, »du kommst heute aber früh nach Hause.«
»Herr«, antwortete er, »Ihr habt mir gesagt, ich müsse nach Hause gehen, wenn der Hund nach Hause geht. Er ist heimgegangen. Seid Ihr nicht zufrieden?«
»Doch, doch, doch«, erwiderte der Herr.
Am folgenden Morgen fand ein großer Jahrmarkt statt.
»Höre!« sagte der Herr zu seinem Diener. »Du wirst morgen früh unsere Schweine auf den Jahrmarkt treiben.«
Der Bursche ging also früh auf den Jahrmarkt und verkaufte dort alle Schweine; die Schwänze aber behielt er. Vierzehn steckte das Geld ein und ging schnell nach Hause. Als er an einer schlechten Wegstelle vorbeikam, steckte er die Schwänze in einen Sumpf. Zu Hause angelangt, sagte er zu dem Herrn:
»Herr, ich bin den Weg gegangen, den Ihr mir befohlen habt, zu gehen. Die Schweine sind alle im Moor versunken. Nur noch die Schwänze sind zu sehen.«
Schnell lief sein Herr hin und wollte die Schweine am Schwanz herausziehen, aber die Schwänze blieben ihm in der Hand.
»Ach, Vierzehn!« rief er. »Welch ein Unglück, soviel Geld zu verlieren!«
»Seid Ihr nicht zufrieden, Herr?«
»Doch, doch, doch«, erwiderte dieser.
Er ging nach Hause. Nachdem er gut zur Nacht gespeist hatte, sagte er zu dem Burschen:
»Vierzehn, heute nacht sollst du mir den Teufel holen.«
Und Vierzehn machte sich auf den Weg, um den Teufel zu holen. Er kam ans Höllentor.
Bum! Bum!
»Wer da?«
»Vierzehn!«
»Was«, rief der Teufel, »die ganze Brut?« Und er öffnete das Tor. Vierzehn packte den Teufel mit der Zange bei der Nase und nahm ihn über die Schulter. Unterwegs kam Vierzehn ein Bedürfnis an; er ließ die Hose herunter, und der Teufel benutzte die Gelegenheit, um sich aus dem Staube zu machen. Vierzehn verfolgte ihn. Am Höllentor angelangt, klopfte er:
Bum! Bum!

»Wer da?«
»Vierzehn!«
»Vierzehn oder fünfzehn«, rief der Teufel, »ich mache nicht auf. Das erste Mal habe ich für vierzehn geöffnet, es war aber nur einer da, der hat mich bei der Nase gepackt. Diesmal mache ich nicht auf.«
»Aber so mach schon auf!« rief Vierzehn. »Ich brauche dich dringend. Wir sind hier, Vierzehn!«
Der Teufel öffnete einen Spalt breit, um zu sehen, ob wirklich vierzehn draußen seien. Schnell packte Vierzehn ihn bei der Nase und nahm ihn mit.
»Diesmal halte ich dich und lasse dich nicht mehr los.«
So kam er zu seinem Herrn.
»Da habt Ihr ihn, Herr«, sagte er, »da habt Ihr den Teufel. Jetzt macht mit ihm, was Ihr wollt. Mir ist sehr heiß, ich werde einen Schluck trinken.«
Jetzt fragte der Teufel den Marquis:
»Was willst du von mir?«
»Du sollst trinken und essen. Hier hast du Suppe und ein Glas Wein.«
»Du weißt, ich bin jemand, der nicht trinkt und auch nicht ißt. Und jetzt, zur Strafe, nehme ich ein Stück deines Schlosses mit.«
Vierzehn suchte seinen Herrn wieder auf und fragte ihn, welche Arbeit er jetzt von ihm wünsche. Der Herr sagte:
»Was du anpackst, das glückt dir.«
»Seid Ihr nicht zufrieden, Herr?«
»Doch, doch, doch«, antwortete er, »ich will, daß du bis morgen früh einen schneeweißen Weg von meinem Schloß bis zur Straße baust.«
Vierzehn antwortete:
»Er soll gebaut werden, Herr.«
Er ging zu allen Bauern und verlangte ihren gesamten Weizen. Die Müller, die Fuhrleute: alle mußten heran, um den Weizen in der Mühle zu mahlen; dann wurde das Mehl verschüttet, um den weißen Weg zu bauen.
»O weh!« sagte der Marquis zu seiner Frau. »Vierzehn richtet uns zugrunde. Wir sind bald ruiniert.«
»Du scheust dich nicht, Vierzehn, meinen Weizen zu nehmen und ihn auf die Straße zu streuen?« sagte er.
»Seid Ihr nicht zufrieden, Herr?«
»Doch, doch, doch!«
Da sagte der Marquis zu seiner Dame:
»Ich habe eine Idee, um Vierzehn loszuwerden. Du ziehst dich ganz nackt aus, ich bestreiche dich mit Honig und stecke dich in diese Tonne voller Federn; du gehst in den Garten, steigst auf den Pflaumenbaum und rufst: ›Kuckuck!‹«

Draußen lag Schnee, und Vierzehn war im Keller beim Holzhacken. Da hörte er plötzlich den Kuckuck rufen.
»Was«, sagte er, »haben wir denn schon Frühjahr? Der erste, den ich rufen höre, wird abgeschossen.«
Vierzehn nahm sein Gewehr, gab zwei Schüsse ab und tötete den Kuckuck.
Da kam der Herr gelaufen und rief:
»Unglücklicher! Was hast du getan? Du hast meine Frau getötet!«
»Ich, Herr? Ich hielt das für einen Kuckuck. Und außerdem, seid Ihr etwa nicht zufrieden?«
»Nicht so ganz«, antwortete der Herr.
»Leg dich hin, damit ich dir die Haut abziehe und sie meinem Bruder bringe!«

Das verlorene Paradies

In einer Hütte, mitten in einem großen Walde, lebte einmal ein Köhler mit seiner Frau.
Sie waren sehr unglücklich: das Jahr war schlecht gewesen, und die armen Teufel hatten nicht einmal genug Schwarzbrot, um sich satt zu essen. Oft geschah es, daß sie abends mit leerem Magen schlafen gehen mußten, nachdem sie sich den ganzen Tag abgerackert hatten. Bedenkt auch, daß der Mann ein schöner Bursche war und die Frau eine Blüte an Schönheit. Aber zu jener Zeit brachten Schönheit und Liebreiz kein Brot in den Schrank. Der König dieses Landes, der tapfer war und herzensgut, kam eines Tages an der Hütte der Köhlersleute vorüber und lauschte an der Tür, weil er jemanden schluchzen hörte.
»Ach, was sind wir doch unglücklich!« stöhnte die arme Frau. »Wir arbeiten wie zwei Galeerensklaven, und doch können wir unser Leben nicht verdienen! Wenn ich bedenke, daß wir miteinander glücklich sein könnten! Der erste Mann und die erste Frau brauchten nicht zu arbeiten, sie waren in einem Paradies. Wenn diese Eva, dieses liederliche Weib, nicht den Unglücksapfel gepflückt hätte, wären wir alle Königen gleich. Du Luder! Hätte dein Mann dich nur ordentlich verprügelt, als du diese Dummheit begingst, dann wären wir alle glücklich!«
Und die arme Köhlerin begann zu weinen.
Da klopfte der König an die Tür.
»Wer ist da?« fragte die Frau.
»Ich.«
»Wer ich?«
»Der König! Macht auf!«
Da schob die Frau den Riegel zurück. Sie hatten keinen Stuhl,

aber der König wollte sich gar nicht setzen. Er sprach zu ihnen: »Ihr seid hier also sehr unglücklich?«
»O Herr König, wir haben nicht einmal genug Brot«, sagte die Frau, »und in drei, vier Monaten bekomme ich ein Kind. Was tun? Wir müssen vor Hunger sterben. Wehe uns!«
»Nein«, sprach der König, »ihr müßt nicht. Ich bringe euch in meinen Palast, und ihr sollt glücklich leben wie Adam und Eva im Paradies. Dazu braucht es nur eins: ihr müßt meinem Gebot gehorchen.«
»O gewiß, Herr König, wir werden tun, was Euch gefällt, und wir wollen Euch in allem gehorsam sein.«
»Gut! Dann laßt uns gehen«, sagte der König. »Schließt eure Tür gut ab, und nehmt den Schlüssel mit.«
Die Frau hoffte sehr, nie in diese Hütte zurückzukehren, und es lag ihr nichts an dem Schlüssel; aber um dem König zu gefallen, verschloß sie gut die Tür.
Sie kamen in das Königsschloß. Diener kleideten die Köhlerin von Kopf bis Fuß in die reizendsten Gewänder, puderten ihr Haar, parfümierten und schminkten sie, und auch der Köhler wurde einer sorgfältigen Toilette unterzogen.
Als es Essenszeit war, kam der König in den Speisesaal und sprach zu ihnen:
»Seht ihr diese goldene Suppenschüssel, die mitten auf dem Tisch steht? Ich verbiete euch, sie zu öffnen! Mit allem übrigen macht, was ihr wollt. Ich gebe euch alles, aber wenn ihr den Deckel von der Suppenschüssel nehmt, seid ihr verloren mitsamt euren Kindern.«
Und der König ging fort.
»Hast du gehört?« sagte der Mann zu der Frau. »Alles, was hier ist, gehört uns; wir können nach Belieben damit schalten und walten, aber die Suppenterrine dürfen wir nicht berühren.«
Zu jeder Mahlzeit gab es neue Speisen, und sie bekamen alles, was sie nur wünschen konnten. Ja, es gab immer mehr als genug, und Jacques, so hieß der Köhler, ging offensichtlich in die Breite. Aber die Frau hatte etwas, was ihr gegen den Strich ging: das war der dauernde Anblick dieser Suppenterrine mitten auf dem reichgedeckten Tisch.
»Was mag wohl in der Terrine sein?«
»Das geht dich nichts an«, sagte der Mann.
Und die Frau schwieg.
Aber Frauen haben Gelüste, besonders, wenn sie schwanger sind. Die Köhlerin wurde traurig, traurig, zum Angstkriegen traurig. Sie wollte keine Suppe mehr, sie wollte kein Fleisch mehr; nicht einmal der gute Wein konnte sie reizen. Sie aß überhaupt nichts mehr.
»Frau«, sagte Jacques zu ihr, »wenn du nicht ißt, wirst du sterben.«

»Lieber will ich sterben als nicht sehen.«
»Unglückliche!« rief der Mann. »Wir werden hier hinausgejagt.«
»Das wird nicht geschehen, sage ich dir. Hebe den Deckel nur ein ganz klein wenig. Das merkt doch keiner.«
Tatsächlich waren sie in diesem Augenblick ganz allein. Jacques hob den Deckel.
»Mein Gott! Was ist denn das?«
»Was ist denn das?«
Ein Mäuschen, nicht größer als der kleine Finger, flitzte hinaus. Schnell warfen sich der Mann und die Frau auf den Boden und wollten das Tierchen wieder einfangen. Aber schon ging eine Tür auf, die Maus sprang hinaus, und der König trat herein. Der Mann und die Frau versteckten sich unter dem Tisch.
»Jacques! Jacques!« rief der König.
Aber Jacques wagte sich nicht aus seinem Versteck hervor.
»Komm heraus«, rief der König, »ich habe dir etwas zu sagen.«
»Ich weiß es ja«, erwiderte der Mann. »Die Maus ist uns entwischt.«
»Ihr müßt nun fort von hier«, antwortete der König. »Ihr habt Adam und Eva als dumme Tölpel behandelt; ihr beide seid noch viel dümmer. Los, marsch, hinaus mit euch, ihr dummen Puten!«
Die Gendarmen warfen Jacques und Jacquette hinaus und brachten sie in ihre Waldhütte zurück.
Dort sind sie immer noch, steinunglücklich, und ihre Kinder sagen zu ihnen:
»Wie wart ihr doch dumm, Papa und Mama!«
Dieses Märchen hat eine Moral: wir dürfen nicht über die Tat unserer Urahnen spotten. Vielleicht hätten wir noch Schlimmeres getan.

Ein Wunder des heiligen Martin

Als der heilige Martin sich zum ersten Male in unser Land hineinwagte, wandte er sich der Gegend von Lugdunum zu, auch Lyon genannt. Da er weder die Bresse noch die Dombes kannte, und da die schlechten Straßen von dazumal ohne Wegweiser waren, brauchte er sehr lange, um das Gebiet zu durchqueren. Es war mitten im Winter. Nur wenige armselige Dörfer lagen tief in den Wäldern versteckt. Dichter Nebel bedeckte die weite Ebene, die der Schnee in eine dicke weiße Watteschicht einhüllte, so daß man Weg und Steg nicht mehr vom Feld unterscheiden konnte. Vom Heulen der Wölfe in den Wäldern, von den gruseligen Schreien der Nachteulen und dem Krachen des Eises auf Mooren und Teichen begleitet, wanderte der heilige

Martin auf gut Glück durchs Land und kam mehrmals vom Wege ab.
Gerade damals hatte er seinen Mantel mit einem Armen geteilt, und wie sehr er auch versuchte, die Schultern mit den übriggebliebenen Fetzen zu bedecken, der Nordwind und der Nebel durchdrangen ihn bis aufs Mark und machten ihn vor Kälte erstarren. Kaum konnte er seinen dicken Wanderstab halten. Zitternd und mit klappernden Zähnen beschleunigte er den Schritt. Bald ging es durch tiefe Wälder, bald über nacktes Land, wo der Wind ungehindert den Schnee vor sich hertrieb. Aber wie eilig er auch ausschreiten mochte, es zeigte sich keine Spur einer Herberge, ja, auch nicht der kleinste Bauernhof.
Ein unwiderstehliches Schlafbedürfnis ergriff ihn nach und nach, und er war nahe daran, auf den Schnee zu sinken, als er plötzlich ein zitterndes Licht in der Ferne bemerkte. Unser Wanderer war ganz in der Nähe von Montluel, und bald hatte er die ersten Behausungen erreicht.
Er klopfte an die Tür eines hübschen Häuschens am Wegrand. Eine alte zahnlose Frau, die aussah wie eine Hexe mit ihrem runzligen, eingeschrumpften Gesicht, ihrer schmutzigen Haube und ihrem groben Wollkleid, öffnete einen Spalt breit die Tür.
»Wer ist da?« rief sie.
»Ein armer Wanderer, halb tot vor Hunger und Kälte, gute Frau.«
»Geht nur weiter! Ich habe kein Brot und kein Feuer für Euch.«
»Aber . . .«
»Oh! Wenn man alle Vagabunden und Taugenichtse an seinem Herd aufnehmen wollte . . .«
»Ich bin kein Vagabund.«
»Ja, das sagen sie alle, und wenn sie dann gehen, dann nehmen sie einem das Geld und die Wäsche mit . . . Geht nur weiter!«
Und mit diesen Worten warf die Alte dem heiligen Martin die Tür vor der Nase zu.
Mit letzter Kraft gelang es ihm, noch einige Schritte zu gehen, bis er auf der Schwelle einer halb verfallenen armseligen Hütte stand.
Poch, poch! klopfte sein Stock an die Tür.
»Herein!« war die Antwort.
Und bevor er die Hand auf den Drücker gelegt hatte, war die Tür schon offen, und er befand sich in einem sauberen Wohnraum, wo eine Tagelöhnersfamilie mit einem ganzen Haufen kleiner Kinder lebte.
»Seht«, sagte der Heilige, »ich bin ein unglücklicher Wanderer, halb tot vor Hunger und Kälte. Erbarmt euch meiner.«
»Mein Gott!« rief die Frau. »Wie kommt Ihr bei solchem Wetter auf die Landstraße? Kommt herein, guter Mann, und wärmt

Euch an unserm Feuer und eßt eine Kelle Suppe. Wir sind nicht reich, aber man wird uns nicht nachsagen, daß wir bei so bitterer Kälte einen Menschen draußen umkommen lassen. Hier ist kein Bett, wie Ihr seht, aber Ihr sollt einen warmen Schlafplatz in unserm Stall haben, auf einem guten, sauberen Strohhaufen neben der Kuh.«

Und während seine Frau weiterschwatzte, holte der Mann ein trockenes Holzscheit und warf einen Armvoll Zweige auf das Feuer. Alsbald knisterte es fröhlich; die Flamme züngelte in dem breiten Kamin empor, ein helles Licht verbreitete sich in dem bisher düsteren Raum.

Bald saß der heilige Martin auf einem Rohrstuhl neben dem Feuer und konnte seine erstarrten Glieder aufwärmen. Dann wurde ihm eine gute Kohlsuppe vorgesetzt, der ein Stück Speck beigegeben war, und dann legte er sich im Stall nieder, wo er selig schlief.

Am folgenden Morgen bekam er wieder seinen Teil vom Frühstück der Familie, und so beschloß er, ein Wunder zu vollbringen, um diese guten Leute für den freundlichen Empfang zu belohnen.

»Habt Ihr nicht manchmal einen Wunsch?« fragte er seine Gastgeberin.

»Doch«, erwiderte sie; »es kommt vor, daß, wenn ich morgens eine angenehme Arbeit beginne, ich mir wünsche, sie möge den ganzen Tag währen.«

»Nun«, sagte der Heilige, »Euer Wunsch soll nicht mehr vergeblich sein; bald wird er sich verwirklichen.«

Und er zog weiter.

Am folgenden Morgen, als der Maisbrei gegessen und die Hausarbeit getan war, beschloß die Bäuerin, einen Ballen Leinwand abzumessen, den sie seit ihrer Hochzeit in der Kammer aufbewahrte. Gleich machte sie sich an die Arbeit.

Sie maß ihre Leinwand schon eine ganze Weile, als sie plötzlich merkte, daß der Ballen, anstatt kleiner zu werden, immer gleich blieb, während der Stoff sich neben ihr häufte. Ganz erstaunt wollte sie aufstehen, um nachzusehen, wie das kam, aber eine unwiderstehliche Macht hinderte sie, ihre Arbeit zu unterbrechen, und den ganzen Tag mußte sie immerfort die Leinwand messen. Das ganze Haus war bald davon angefüllt, und man mußte einen Teil auf dem Speicher, auf dem Heuboden und in der Scheune unterbringen.

Jetzt brauchten die Kinder nicht mehr ohne Hemden zu sein, und auch die Betten bekamen Leintücher. Dies wurde für das Haus die Quelle des Reichtums und des Wohlergehens.

Ob dieses Wunder in Montluel Staub aufwirbelte? Das brauche ich euch nicht zu sagen, denn jeder errät es leicht. Es verbreitete sich wie ein Lauffeuer, und vom Pont d'Ain bis nach Lyon

und vom Dauphiné bis zur Bresse hörte man bald nur von diesem ungewöhnlichen Ereignis sprechen.
Wer es aber heftig bereute, den heiligen Martin schlecht empfangen zu haben, das war das alte, zahnlose Weib, das, ohne Mitleid für die Unglücklichen, ihm die Tür vor der Nase zugeworfen hatte.
»Ach, wenn ich das gewußt hätte!« sagte sie zu sich selbst. »Wenn der Heilige wieder vorbeikommt, was nicht mehr fern sein kann, dann werde ich mich ganz anders verhalten.«
Ja, aber der heilige Martin hatte ihre Gedanken erraten. Er beeilte sich, seine Angelegenheiten in Lyon zu ordnen, bekehrte dort eine Menge Heiden, dann ergriff er seinen Wanderstab und wandte sich den Bergen von Bugey zu. Wieder kam er durch Montluel. Die alte Heuchlerin hatte den Weg nicht aus den Augen gelassen. Sie lief ihm entgegen, warf sich ihm zu Füßen und erbat sich die Gunst, unter ihrem bescheidenen Dach einkehren zu wollen.
»Gern«, sagte der heilige Martin, »denn ich bin hungrig und fange an, müde zu werden.«
»Ruht Euch nur aus, guter Mann, ich werde Euch das Essen zubereiten.« Und die Alte holte aus dem Kamin einen großen prachtvollen Räucherschinken, rupfte eins ihrer fettesten Hühner und setzte alles dem Heiligen vor, denn sie dachte an die großzügige Belohnung.
Als der heilige Martin sich einem solchen Festmahl gegenübersah, fürchtete er einen Augenblick, den Himmel zu verlieren, denn Schlemmerei ist Sünde. Aber schließlich lachte er in sich hinein, weil die Alte so schlau zu sein glaubte, und aß mit ausgezeichnetem Appetit.
Damit nicht genug. Nachdem der Wanderer gesättigt war, wurde ihm das beste Bett des Hauses zum Schlafen angewiesen mit einem Sack voller Maisblätter und einem dicken Federbett. Noch nie hatte der heilige Martin in einem weicheren und wärmeren Bett geschlafen.
Am folgenden Morgen wurde er wieder mit Gefälligkeiten überschüttet. Die Alte setzte dem Heiligen gute warme Milch und frische Eier vor.
»O!« sagte sie. »Man gibt ja gern alles, was man hat, aber wir sind nicht reich.«
»Habt Ihr denn irgendeinen Wunsch?« fragte der heilige Martin schmunzelnd.
»Ach, guter Mann Gottes, oft wünsche ich mir, den ganzen Tag tun zu können, was ich am Morgen beginne.«
»Von morgen an soll sich Euer Wunsch erfüllen, gute Frau.«
Und mit diesen Worten setzte der Heilige seinen Weg nach Bugey fort.
Am folgenden Morgen, vor Sonnenaufgang, ja sogar bevor

der Hahn gekräht hatte, stand das alte Weib auf und brummelte vor sich hin:
»Es wäre wirklich schade, meine Zeit mit Kleinigkeiten zu verlieren. Leinwand messen, welch eine Dummheit! Ich werde mein Geld zählen.«
Aber kaum hatte sie diese Überlegung angestellt, als sie ein Bedürfnis spürte, zuerst nur leicht, dann aber immer dringender, eines dieser Bedürfnisse, die jeden ankommen, aber die im allgemeinen leicht zu befriedigen sind. Wie sehr die Alte sich auch ihren frohen Gedanken hingeben mochte, sie war gezwungen, der Dame Natur zu gehorchen und sich zu erleichtern.
Kaum hockte sie da, als sie zu ihren Füßen ein kleines Rinnsal Wasser fließen sah, das aber bald zu einem Wasserlauf anschwoll. Sie will aufstehen, um ihr Geld zu zählen; unmöglich! Und das Wasser fließt immer weiter, und aus dem Wasserlauf wird ein Bach. Wieder macht sie die größten Anstrengungen, um aufzustehen; sie flucht, zetert und rast: vergebliche Mühe, eine unsichtbare Hand hält sie fest, und unbeweglich muß sie auf dem Platz verharren, und der Bach wird zum reißenden Sturzbach, wälzt Erde, Steine und Bäume mit sich, überschwemmt Felder und zerstört die ganze Ernte von Montluel bis zur Rhône. Seither fließt die Sereine ruhig und meistens ungefährlich, aber manchmal wird sie kochend und wild und verwüstet die ganze Ebene von La Boisse bis Beynost.

Papa Großnase

Es waren einmal zwei Könige, die waren Nachbarn, und da einer auf den andern eifersüchtig war, hatten sie sich gegenseitig den Krieg erklärt. Schon war nach mehreren Kämpfen der eine der Gegner in eine mißliche Lage geraten, weil die Windungen eines breiten Flusses ohne Brücke die freie Bewegung des Heeres hinderten. So kletterte nun eines Tages einer der Offiziere in die höchste Spitze einer Eiche, die einen ganzen großen Wald überragte, um die Bewegungen des Feindes zu beobachten. Als er nach allen Seiten spähte, bemerkte er nicht weit von dort eine Schar Kinder, die spielten in einer Lichtung um ein loderndes Feuer, und kurz darauf trat ein Mann zu ihnen, der hatte eine Nase, die war so lang, so lang, als wolle sie kein Ende nehmen.
»Oh!« riefen die Kinder und hörten auf zu spielen. »Da ist ja Papa Großnase!«
Und sie liefen ihm alle entgegen.
»Guten Tag, Papa Großnase!«
»Guten Tag, liebe Kinder!«

»Was gibt's Neues, Papa Großnase?«
»O liebe Kinder, ich weiß wohl etwas.«
»Erzählt, Papa Großnase, erzählt!«
»Ich werde es euch erzählen, aber sagt's nicht weiter. Da sind zwei Könige, die sich bekriegen. Der eine der beiden wird immer geschlagen, weil er den Fluß nicht überqueren kann, da ist keine Brücke. Und doch steht in diesem Walde, nicht weit von uns, der Rote Baum. Man braucht nur einen Zweig davon abzubrechen und ihn auf das Wasser des Flusses zu legen: sofort würde eine schöne Brücke entstehen. Krick, krack! Verschwiegen sein, sonst wirst du Stein!«
Der Offizier hatte genug gehört. Er stieg von seiner Warte herunter und machte sich auf die Suche nach dem Roten Baum, den er nach einiger Mühe entdeckte. Er brach einen Zweig davon ab, nahm ihn und suchte den König auf.
»Sire, ich übernehme es, in der nächsten Nacht eine Brücke über den Fluß zu schlagen. Das Heer soll sich bereithalten, um hinüberzumarschieren. Fragt mich nicht weiter.«
»Wenn du tust, was du sagst«, antwortete der König, »sollst du gut belohnt werden.«
Der Offizier brauchte nur den Zweig auf das Wasser des Flusses zu legen. Der Zweig wurde breiter und länger und nahm die Form einer Brücke an; das Heer ging hinüber, überraschte die Feinde und trug seinen ersten Sieg davon. Aber die andern hielten sich nicht für geschlagen und gewannen in wenigen Tagen wieder die Oberhand. Da fiel dem Offizier ein, zu seiner Eiche zurückzukehren. Kaum hatte er den höchsten Zweig erreicht, da hielt er Ausschau und sah auf der Lichtung die Kinder um das Feuer versammelt. Kurz danach kam der Mann mit der langen Nase.
»Da ist Papa Großnase«, riefen die Kinder. »Guten Tag, guten Tag, Papa Großnase!«
»Was habt Ihr uns zu erzählen, Papa Großnase?«
»Oh, ich weiß wohl etwas.«
»Schnell, erzählt, Papa Großnase!«
»Ich werde es euch erzählen, aber behaltet es für euch. Dem König ist es gelungen, eine Brücke über den Fluß zu schlagen, aber sein Heer wird trotzdem besiegt werden. Und doch steht in diesem Walde der Hohle Baum. Es würde genügen, ein wenig von dem Staub, der in dem Hohlen Baum eingeschlossen ist, den Feinden während der Schlacht in die Augen zu streuen, um sie zu blenden und zu ersticken. Krick, krack! Verschwiegen sein, sonst wirst du Stein!«
Hoch erfreut, ein solches Geheimnis zu kennen, verließ der Offizier seine Eiche und beeilte sich, den Hohlen Baum zu suchen. Schließlich fand er ihn und füllte seine Taschen mit dem Pulver, das er enthielt. Dann ging er zum König und sprach zu ihm:

»Sire, fürchtet nicht, den Feind anzugreifen. Liefert gleich morgen eine Schlacht. Nur stellt mich in die erste Reihe, habt den Wind mit Euch; so übernehme ich die Verantwortung für den Tag.«
»Es soll geschehen, wie du wünschst«, sprach der König. »Wenn es dir gelingt, sollst du gut belohnt werden.«
Am folgenden Tag begann die Schlacht. Im Maße, wie der Offizier den Staub des Hohlen Baumes in den Wind warf, bildeten sich dicke Rauchwolken, welche die feindlichen Soldaten erstickten. Viele sanken um wie vom Blitz getroffen, die andern ergriffen die Flucht, von dem Offizier und seinen Leuten verfolgt. Es blieb nicht einer auf tausend übrig, so daß ihr König gezwungen war, zu kapitulieren. Also wurde Friede geschlossen. Der Offizier war der Held des Tages. Er wurde zu dem König gerufen, der ihn heiß beglückwünschte.
»Ich habe dir eine gute Belohnung versprochen«, sagte er zu ihm. »Ich weiß nichts Besseres, als dir meine Tochter zur Frau zu geben.«
Schön wie der Tag, diese Königstochter! Und schon war der Offizier in sie verliebt. Bis zum Tag, der für die Hochzeit bestimmt war, verbrachte er seine ganze Zeit im Palast mit Spaziergängen und Zerstreuungen in Gesellschaft seiner Braut.
Da sagte sie einmal zu ihm:
»Wie habt Ihr es fertiggebracht, eine Brücke über den Fluß zu schlagen, und was für ein Pulver war es, das Euch in der Schlacht so gute Dienste geleistet hat?«
»Ach, Prinzessin, ich werde Euch alles sagen. Um den Feind zu beobachten, war ich auf die höchste Eiche des Waldes geklettert; da fiel mein Blick auf ein Feuer, das in einer benachbarten Lichtung loderte; rundherum spielte eine Schar Kinder. Kurz danach trat ein Mann zu ihnen, der hatte eine lange Nase, und ich hörte ihre Unterhaltung.«
»Und was sagten sie?«
»Dies, Prinzessin . . .« Und der Offizier enthüllte die Geheimnisse, die er gehört hatte. Aber kaum war sein Bericht zu Ende, da wurde er in Stein verwandelt. Die entsetzte Prinzessin rief um Hilfe; alle Leute des Palastes kamen herbeigelaufen, und unter ihnen befand sich auch ein Onkel des Offiziers.
»Ach«, rief er, »was ist meinem Neffen zugestoßen?«
Die Prinzessin erzählte, was sie soeben gehört und gesehen hatte: auf der Stelle wurde sie in Stein verwandelt.
Die Verzweiflung war groß bei Hofe. Der König befahl, die beiden Opfer in die Kirche zu bringen und sie zu beiden Seiten des Hauptaltars aufzustellen. Das ganze Königreich war in Trauer.
Indessen mußte der Onkel des Offiziers immer an den seltsamen Bericht der Prinzessin denken; der Wunsch, den geheim-

nisvollen Großnase zu sehen, ließ ihn nicht los. Da er keine Ruhe mehr fand, ging er in den Wald; bei der höchsten Eiche angelangt, kletterte er von Zweig zu Zweig und erkannte, daß die Prinzessin die Wahrheit gesagt hatte; denn das Feuer leuchtete in der Lichtung, die Kinder spielten ringsumher, und bald kam der Mann mit der langen Nase.

»Guten Tag, Papa Großnase«, riefen die Kinder.

»Guten Tag, liebe Kinder.«

»Was gibt's heute Neues, Papa Großnase?«

»Ich weiß etwas, liebe Kinder.«

»Erzähl es uns, erzähl es uns!«

»Ich werde es euch erzählen, aber sagt's nicht weiter. Als ich euch von dem König sprach, der keine Brücke über den Fluß schlagen und auch nicht siegen konnte, da war einer seiner Offiziere auf einen Baum hier in der Nähe geklettert. Er hörte meine Worte und hat sie benutzt, um eine Brücke zu schlagen und den Feind mit Hilfe des Pulvers aus dem Hohlen Baum zu besiegen. Zur Belohnung hat der König ihm seine Tochter zur Frau versprochen. Aber er konnte die Geheimnisse nicht für sich behalten. Er hat der Prinzessin alles offenbart und wurde dafür in Stein verwandelt. Der Prinzessin geschah dasselbe, da sie seine Worte weitergesagt hatte. Das ganze Königreich ist in Trauer. Und dennoch, mitten im Walde ist eine Quelle, auf der eine Eisdecke liegt. Man muß das Eis nur hochheben, ein wenig Quellwasser nehmen und die versteinerten Brautleute damit benetzen; so werden sie wieder lebendig. Krick, krack, verschwiegen sein, sonst wirst du Stein.«

Der Onkel des Offiziers blieb nicht lange auf dem Baum. Er begab sich schnell auf die Suche nach der Quelle, die er erst einige Stunden später entdeckte. Bevor der Tag vorüber war, eilte er in die Kirche; kaum hatte er seinen Neffen mit einigen Tropfen des kostbaren Wassers benetzt, als der Offizier ihm voller Dankbarkeit um den Hals fiel — dasselbe tat die Prinzessin einen Augenblick später.

Die Freude war allgemein, und die Hochzeitsvorbereitungen wurden fortgesetzt.

Der König hatte den Onkel des Offiziers schon mehrmals nach dem Mittel gefragt, das er so erfolgreich angewandt hatte, um die Königstochter wieder lebendig zu machen, aber dieser weigerte sich, das Geheimnis preiszugeben, da es so furchtbare Folgen hatte. Da er aber jeden Tag gefragt wurde, fühlte er, daß er es nicht mehr lange bewahren konnte. ›Wenn ich noch einmal zur großen Eiche ginge‹, dachte er, ›vielleicht erfahre ich noch irgend etwas Vertrauliches, was mir von Nutzen sein könnte.‹

So kletterte er also eines Tages wieder auf den Baum und wandte den Blick der Lichtung zu. Gerade in diesem Augenblick be-

grüßten die Kinder, die um das Feuer versammelt waren, den Mann mit der langen Nase.
»Guten Tag, Papa Großnase.«
»Guten Tag, liebe Kinder.«
»Was gibt's Neues?«
»Ich weiß wohl etwas, liebe Kinder.«
»Was ist es denn, Papa Großnase?«
»Ich werde es euch erzählen, aber sagt's nicht weiter. Ihr wißt, daß der Offizier und die Königstochter in Stein verwandelt worden waren. Ein Onkel des Offiziers, der sich auf einem Baum versteckt hatte, hörte, was ich euch sagte, und er hat es benutzt, um Wasser aus der Quelle zu holen, so daß sein Neffe und die Prinzessin heute so lebendig sind wie zuvor. Aber der Onkel, der bedrängt wird, sein Geheimnis zu verraten, kann es nicht mehr lange bewahren. Er wird es preisgeben und in Stein verwandelt werden. Und dennoch, am Flußufer kenne ich einen Orangenbaum. Er braucht dort nur eine Orange zu pflükken, sie zu essen, dann ein Loch in den Stamm zu bohren, seine Lippen daraufzupressen und ganz leise zu flüstern, was er von mir gehört hat. Seine Worte würden dem Stamm folgen, durch die Wurzeln hinuntergehen und sich im Fluß verlieren. Dann könnte er sie ganz laut weitersagen, ohne Furcht, in Stein verwandelt zu werden.«
Der Onkel spitzte die Ohren. Dann lief er, so schnell er konnte, an den Fluß. Er fand den Orangenbaum und folgte genau den Angaben Großnases. Danach kehrte er in den Palast zurück, und ohne Gefahr teilte er dem König mit, was geschehen war. Eine Woche später wurde Hochzeit gefeiert. Wenn ich euch alle Lustbarkeiten erzählen sollte, die dabei stattfanden, dann brauchte ich von heute bis morgen. Was ich euch sagen kann, ist, daß die Jungvermählten glücklich waren und daß im Lande lange Zeit Friede und Wohlstand herrschten.

Bocévaine

Bocévaine war ein gerissener Bauer. Eines Tages hörte er, es sei ein Krieg ausgebrochen. Sofort schlachtete er seine beiden Kühe und pökelte das Fleisch ein; dann ging er in den Wald, um die Häute trocknen zu lassen. Plötzlich hörte er einen furchtbaren Lärm: es sind die Feinde! Schnell klettert er mitsamt seinen Häuten auf einen Baum und bleibt dort mäuschenstill sitzen. Nun aber machten die Feinde ausgerechnet an dieser Stelle halt. Die Führer setzten sich zu Füßen des Baumes nieder und fingen an, einen Schatz zu zählen, den sie erbeutet hatten.
Bocévaine, vom Anblick des kostbaren Metalls geblendet, ver-

lor den Kopf; in seiner Verwirrung ließ er die Häute fallen
Die Offiziere, die glaubten, es sei ein Überfall, riefen zu den
Waffen, und auf der Stelle machte sich die ganze Truppe aus
dem Staube.
Bocévaine, der vom Baum herabgeklettert war, stellte voller
Freude fest, daß die Offiziere in ihrer Verwirrung den Schatz
zurückgelassen hatten. Er steckte alles in seine Taschen und
füllte sogar seine Mütze und seine Holzschuhe mit Goldstücken
Dann lief er eilends nach Hause. Seine Frau glaubte zu träumen.
Da er keine Zeit hatte, all das Geld zu zählen, sagte er zu seiner Frau:
»Frau, hole mir das kleine Maß vom Herrn Pfarrer.«
Sie ging hin. Der Pfarrer aber wollte wissen, was Bocévaine so
spät noch zu messen habe. Sie sagte ihm, es seien Goldstücke
Der Pfarrer war neugierig und ging zu Bocévaine.
»Woher hast du das viele Gold?« fragte er ihn.
»Das habe ich für meine beiden Häute bekommen«, sagte Bocévaine.
Der Pfarrer hatte vier Kühe, und in der Meinung, das Doppelte
damit verdienen zu können, ließ er sie schlachten und schickte
seine Magd hin, um sie auf dem Markt zu verkaufen. Jedem
Käufer, der nach dem Preis fragte, erwiderte sie:
»Ebensoviel wie Bocévaine.«
Man hielt sie für verrückt, und so mußte sie die Häute wieder
nach Hause tragen. Der Pfarrer wollte sich rächen, daß Bocévaine ihn zum Narren gehalten hatte, und kam wütend zu ihm
gelaufen. Bocévaine aber sah ihn kommen und stellte seinen
Kochtopf, in dem eine appetitliche Suppe brodelte, mitten in
das Zimmer, nachdem er das Feuer mit einem Eimer Wasser
ausgelöscht hatte. Er nahm eine Peitsche und schlug auf den
Kochtopf ein, als gerade der Pfarrer hereintrat.
»He, Herr Pfarrer«, rief er, »ich wette, Ihr habt noch nie einen
solchen Kochtopf gesehen, der ohne Feuer kocht!«
Der Pfarrer merkte nicht, daß er angeführt wurde.
»Verkaufe mir diesen Kochtopf«, sagte er.
Bocévaine wollte zuerst nicht, aber schließlich sagte er:
»Schön, Herr Pfarrer, weil Ihr es seid, verkaufe ich ihn Euch,
aber nicht billiger als fünfzig Taler.«
»Gut, fünfzig Taler«, sagte der Pfarrer. Er zahlte den Betrag
und nahm den Kochtopf mit.
Sonntags ging seine Magd nie in die Messe unter dem Vorwand, sie müsse den Kochtopf auf dem Feuer überwachen; von
jetzt an aber würde sie diese Entschuldigung nicht mehr haben
Aber als man ihr das vermeintliche Wunder zeigte, zog sie die
Schultern hoch und sagte, das sei gewiß wieder so ein Streich
von Bocévaine.
Am Sonntagmorgen setzte sie indessen Gemüse und Fleisch in

dem Kochtopf auf und ging in die Messe. Als sie heimkam, war alles in dem gleichen Zustand. Wieder geriet der Pfarrer in großen Zorn und lief zu Bocévaine, diesmal fest entschlossen, sich zu rächen. Bocévaine hatte ihn schon kommen sehen.
»Ziehe dich aus«, sagte er zu seiner Frau, »und stelle dich tot.«
Die Frau gehorchte eilends. Bocévaine warf ihr das Leintuch übers Gesicht, zündete eine Kerze an, und als der Pfarrer hereinkam, schluchzte er herzzerbrechend.
Der Pfarrer dachte unter diesen Umständen nur noch an das Gebot der Pflicht und bemühte sich, ihn zu trösten. Bocévaine war untröstlich. Aber plötzlich faßte er sich.
»Da fällt mir ein, ich habe da ja ein Pfeifchen, das macht die Toten wieder lebendig.«
Schnell lief er zu seinem Schrank, nahm die Pfeife und blies mehrmals hinein.
Auf der Stelle erhob sich die Frau wie eine Sprungfeder und stieß einen langen Seufzer aus. Der verblüffte Pfarrer wollte diese Pfeife unbedingt kaufen. Bocévaine willigte ein, aber nur zum Preis von fünfzig Talern.
Der Pfarrer nahm also die Pfeife mit, aber diesmal hütete er sich, seiner Magd davon zu erzählen, und das hatte seine Gründe. Sie machte ihm jeden Tag einen höllischen Krach. Um Ordnung zu schaffen, nahm er einen Besenstiel und versetzte ihr damit einen so heftigen Schlag, daß sie leblos zu seinen Füßen niedersank. Er gedachte sie erst dann wieder aufzuwecken, wenn es Zeit wäre, das Essen zu richten. Als es soweit war, begann er zu pfeifen. Vergebliche Mühe, das arme Mädchen war tot, mausetot. Diesmal war der Zorn des Pfarrers furchtbar. Er nahm einen Sack, und in einem Satz war er bei Bocévaine.
Diesem fiel nichts mehr ein. So mußte er wohl oder übel dem Pfarrer folgen. Am Flußufer angelangt, hieß ihn der Pfarrer in den Sack steigen und gab ihm eine Viertelstunde, um seine Seele Gott zu empfehlen. Dann entfernte sich der Pfarrer.
Da kam jemand vorüber; der wollte wissen, warum man Bocévaine in den Sack gesteckt hatte.
»Weil ich mein Pater und mein Ave nicht kann«, erwiderte Bocévaine.
»Ich kann diese Gebete«, sagte der Betreffende, »ich werde Euren Platz einnehmen.« Bocévaine hütete sich wohl, einen solchen Vorschlag abzulehnen.
Als der Pfarrer zurückkam, konnte der Pechvogel ihm noch so schön seine Gebete aufsagen, es half alles nichts, er mußte den Sprung ins Wasser tun.
Der Herr Pfarrer dachte nicht mehr an Bocévaine, als er eines schönen Tages eine Peitsche auf der Straße knallen hörte. Neugierig schaute er hinaus, und was sah er? Bocévaine, leibhaftig,

der eine Herde von furchtbar mageren Schweinen vor sich her-trieb.

Bocévaine, der sein Erstaunen erriet, belehrte ihn, daß er wirk-lich der gleiche Bocévaine sei, den er in den Fluß geworfen habe, und er fügte hinzu:

»Hättet Ihr mich etwas weiter hineingeworfen, hätte ich viel fet-tere Schweine gefunden.«

Höchst erstaunt, vergaß der Pfarrer jeden Groll und bat Bocé-vaine, ihn in einen Sack zu stecken. Bocévaine beeilte sich, ihm zu gehorchen. Er warf den Sack, so weit er nur konnte, in den Fluß, aber der Pfarrer kehrte nie zurück.

Nachwort

Was das Volk sich erzählte, war in dem Frankreich vor der Revolution nie beachtet worden. Die Gebildeten – vor allem der Adel, der den Ton angab – fühlten sich dem Volk so fern und so überlegen, daß sie sich geschämt hätten, auch nur das geringste Interesse für solche »Mutter-Gans- oder Storchgeschichten«, wie man Volksmärchen nannte, zu zeigen. Einen Beweis für diese Verachtung gibt uns der Vorläufer der modernen Märchenforschung selbst: Charles Perrault (1628–1703). Autor des ›Siècle de Louis le Grand‹, der den angesehenen Beruf eines »Verfassers von Sprüchen und Inschriften für die Gebäude des Königs« ausübte, veröffentlichte Perrault seine ›Contes de ma mére l'Oie‹ (1665) unter dem Namen seines Sohnes, Pierre Darmancour. Warum? Weil es die Mägde gewesen waren, die den Kindern diese Geschichten erzählt hatten, und dazu war ihm sein guter Name zu schade. Aber da die Kinder von diesen Volkserzählungen fasziniert waren, ließ Perrault sie als Stilübungen niederschreiben, um dann die Texte zu korrigieren, und im Bewußtsein seiner erzieherischen Verantwortung hängte er ihnen zum Schluß ein moralisches Mäntelchen in Versform um. Rache des Schicksals: wer wüßte heute etwas von dem Verfasser der schlechten Verse des »Siècle de Louis le Grand«, wenn die verachteten »Mutter-Gans-Geschichten« den Namen Perrault nicht weltberühmt gemacht hätten?

Fünf Jahre vor dem Erscheinen der Märchen von Perrault hatte die Gräfin d'Aulnoy in ihren Roman ›Histoire d'Hypolite‹ (1690) ein echtes Volksmärchen eingewebt, dessen Held einem überirdischen Wesen in das Land der ewigen Jugend folgt und glaubt, nur einige Tage dort verbracht zu haben, während er Hunderte von Jahren verschwunden geblieben ist; bei seiner Rückkehr, sobald er vom Pferde steigt, zerfällt er zu Staub. Diese ersten Beispiele fanden Nachahmer, und es wurde die Lieblingsbeschäftigung einer ganzen Anzahl vornehmer Damen, Feenmärchen zu verfassen. Madame d'Aulnoy veröffentlichte ihre ›Contes des fées‹ (z. B. ›Die Schöne mit den goldenen Haaren‹, ›Der blaue Vogel‹ usw.), denen noch einige Bände folgten, aber wenn sie sich auch hier und da von Volkserzählungen inspirieren ließ, so ging sie doch ganz nach Belieben mit diesen Stoffen um und paßte sie dem Geschmack ihrer Epoche an. Die Gräfin Murat erfand sogar »moderne« Feen, die alle, jung, schön und reich, nur in königlichen Palästen lebten, denn die Feen der »Mutter-Gans-Geschichten« waren ihr nicht vornehm genug. Mlle de la Force, Mme d'Auneuil, Mlle Lhéritier waren mit Mme d'Aul-

noy und Mme de Murat die bekanntesten Verfasserinnen jener faden Rokokogeschichten. (Als Beispiel in dieser Sammlung: ›Der blaue Vogel‹).
Um die gleiche Zeit – zu Beginn des 18. Jahrhunderts – erschien die erste Übersetzung der Märchen aus Tausendundeiner Nacht (1704–1712). Sie löste helle Begeisterung aus. Jetzt mußte alles orientalisch sein. Eine Flut arabischer, persischer, türkischer, indischer, chinesischer Märchen überschwemmte den französischen Buchmarkt. Die Phantasie griff die Motive auf, wo immer sie zu finden waren, und kleidete sie in ein orientalisches Gewand. Wer würde heute unter dem Titel ›Soirées bretonnes‹ (Bretonische Abende) eine orientalische Märchensammlung vermuten oder unter dem Titel ›Chinesische Märchen‹ die Geschichte des Rattenfängers von Hameln als »persisches« Märchen aufgemacht?
Diese Mode währte bis zur Mitte des 18. Jahrhunderts und hinterließ als echtes Volksgut, das allein seine Zeit überdauerte, kaum mehr als die Märchen von Perrault und ›La Belle et la Bête‹ (Die Schöne und das Tier – s. S. 20 dieser Sammlung), ein Volksmärchen, das Mme de Villeneuve auf einer Überfahrt nach Amerika (1740) von ihrer Kammerfrau gehört und aufgezeichnet hatte. Siebzehn Jahre später veröffentlichte Mme Leprince de Beaumont in einer Kinderzeitschrift eine gekürzte Fassung dieses Märchens, und von dort fand es den Weg bis in die moderne Literatur und den Film.
Der Folklorist, der sich mit jener Epoche, die etwa bis zur Mitte des 18. Jahrhunderts währte, auseinandersetzen möchte, findet alle Publikationen dieser Kategorie im ›Cabinet des Fées‹ vereinigt (1785–1789), einer illustrierten Sammlung von 41 Bänden, die mit Perrault beginnt und mit einer fragwürdigen »Fortsetzung« von Tausendundeiner Nacht endet. Als ›Bibliothèque bleue‹ (einer billigen, auf schlechtem Papier gedruckten Volksausgabe mit blauem Umschlag – daher der Name) wurden diese Feengeschichten durch Wanderhändler im Volk verbreitet.
Mit der Französischen Revolution begann ein ungeheurer sozialer Umschwung. Das Volk wurde mehr und mehr beachtet, und so erklärt sich der erstaunliche Erfolg, den Macpherson mit seinem ›Ossian‹ (Ende des 18. Jahrhunderts) in Frankreich erfuhr. Bald kam die deutsche Romantik; vor allem waren es die ›Kinder- und Hausmärchen‹ der Brüder Grimm, die schon ein Jahr nach ihrer Publikation in französischer Übersetzung erschienen. In Norwegen, Dänemark, Rußland, Polen, Griechenland, Ungarn und anderen Ländern folgte man sehr bald dem Beispiel der Brüder Grimm. Aber merkwürdigerweise kam man in Frankreich erst relativ spät auf den Gedanken, daß auch im französischen Volk, außer den Märchenstoffen von Perrault, noch mancherlei Schätze verborgen sein könnten.

Ein Vergleich des französischen Volksmärchens mit dem deutschen Volksmärchen zeigt, daß wesentliche Unterschiede vor allem in der allgemeinen Auffassung des Gehaltes und im Aufbau und Stil der Erzählung bestehen. Wir sind hier fern vom Zauber des warmen Kachelofens, der Spinnstube und der Gartenbank vor der Tür. Descartes hat nicht nur die Denkweise der Gebildeten geformt; die Tendenz zur Rationalisierung durchdringt das gesamte Volk. Der Franzose will sich nicht im Grenzenlosen verlieren, er sucht Gewißheit durch Entzauberung. Zugleich aber tritt dadurch ein menschliches Element in den Vordergrund, das in der absoluten Wunderwelt des deutschen Märchens fehlt.

Der französische Erzähler gibt dem Ort der Ereignisse einen gewohnten Namen. Halbhähnchen leiht nicht irgendeinem Mann hundert Taler, sondern dem »Pächter von Grand-Herlin«. Zum Festmahl werden köstliche und ausgesuchte Gerichte aufgetragen, z. B. »Fasanen über einem Holzfeuer am Spieß gebraten« usw. Die Helden haben Namen, die den Hörern vertraut sind, je nachdem, wo das Märchen erzählt wird.

Im Stil zeigt sich die gleiche Tendenz, das sichere Ufer nicht zu verlassen. Die Sprache ist einfach, klar, beinahe sachlich. Die häufige Anwendung der direkten Rede ist auffallend.

Die gereimte Formel ist ein weiteres typisches Merkmal des französischen Märchens; sie wird manchmal gesungen. Eine französische Mutter, die ihren Kindern oft Märchen erzählt, berichtet, mit welcher Spannung die Kinder auf den Kehrreim warten, den sie kennen und in den sie mit Begeisterung einstimmen.

Auffallend ist ferner, daß die Helden und Heldinnen in der französischen Volkserzählung viel häufiger aus dem Volk stammen als im deutschen Märchen. Z. B. ist die Heldin der zahlreichen Fassungen von ›La Belle et la Bête‹ (Die Schöne und das Tier) fast immer die Tochter kleiner Leute: eines Köhlers, eines Gärtners, eines Weinbauers, ja eines Tagelöhners. Aschenputtel ist nur bei Perrault die Tochter eines Edelmannes; in den meisten mündlich überlieferten Fassungen ist sie ein kleines Bauernmädchen, das seine Schafe hütet, die Spindel dreht und Holz sammelt. Der Held braucht kein Königssohn zu sein, um beim französischen Hörer Interesse für seine Abenteuer zu wecken.

Viel häufiger als im Deutschen sind in Frankreich Schwänke, Kreis- und Lügenmärchen. Zu den beliebtesten Märchengestalten gehören der Schlauberger, ein wahrer Meister im Betrügen, Stehlen und Anführen, und sein Gegensatz, der Dummkopf, der unvergleichliche »Gribouille« der Picardie, dessen Schwachsinn eine willkommene Gelegenheit bietet, ihn zum Narren zu halten: ein besonderes Vergnügen für den französischen Erzähler.

Es wird nur gelegentlich moralisiert; die Champagne scheint im Moralisieren den ersten Platz zu behaupten. Die Normandie ist besonders reich an Schwänken, während die Derbheit der Erzählung sich am ausgeprägtesten im Norden zeigt. In den Küstengebieten der Bretagne und der Normandie findet man eine besondere Märchenkategorie: das Matrosenmärchen, das auf den langen Überfahrten an Bord erzählt wurde. Die keltische Bretagne ist die an Zaubermärchen reichste Provinz.
Dieser kurze Umriß der modernen Märchenforschung und des ersten Auftauchens echten Volksgutes in Frankreich am Ende des 17. Jahrhunderts sagt nichts über die Quellen aus, die den unablässig fließenden Strom der Volkserzählung genährt haben. Was geschichtlich erfaßbar ist, geht in Frankreich auf Gallier, Römer und Franken zurück, ist also keltischen, antiken und – nördlich der Loire – germanischen Ursprungs.
Zu den Anfängen der französischen Literatur (seit dem 11. Jahrhundert) gehören außer den ›Chansons de geste‹ germanischer Herkunft auch die ›Fabliaux‹, kurze Reimschwänke, die von fahrenden Spielleuten und Bettelmönchen im Volk verbreitet wurden. Zugleich bedienten sich die Prediger des Mittelalters der einfachen Form der Volkserzählung, um dem Volk die christliche Moral verständlich zu machen; ihre Stoffe entnahmen sie der Bibel und dem Leben der Heiligen. Dies sind die ›Exempla‹ (Predigtmärlein). Die keltische Heldensage, die in zahlreichen bretonischen Märchen lebendig geblieben ist, inspirierte die höfische Epik.
Am Ende des Mittelalters, unter dem Einfluß Italiens (Boccaccio), weicht das Zaubermärchen allmählich dem Schwank, der nur noch unterhalten will. Die reichste Schwanksammlung entstand zu Beginn des 16. Jahrhunderts, von Johannes Pauli, einem Mönch des Klosters Thann (Oberelsaß), zusammengestellt: ›Schimpf und Ernst‹. Aber Rabelais' Gargantua stellte alle bisherigen Schwänke in den Schatten. Erwähnt seien noch die Fabeln von La Fontaine, die zwar auf Aesop zurückgreifen, deren natürliche Verwandtschaft mit dem Volksmärchen jedoch durch den Ausspruch La Fontaines bestätigt wird: »Si Peau d'âne m'étoit conté, j'y prendrois un plaisir extrême.«
Der Kreis schließt sich. Die französische Kultur, von den Königshöfen bestimmt, löste sich mehr und mehr von dem Volk, dessen Erzählungen verachtet wurden. Bis mit der Französischen Revolution eine neue Epoche begann.
Wir wissen nicht, wohin die immer größer werdende Herrschaft der Technik den Menschen führen wird. Sicher ist jedoch, daß eine ungeheure Kulturepoche der Menschheit abgeschlossen ist, und zu dieser Epoche gehört auch die mündliche Überlieferung der Volksliteratur.

Das Märchenbuch der Welt

Herausgegeben von Inge Diederichs.
400 Seiten mit vielen, teils farbigen Bildern.
30. Tsd. Leinen

Empfohlen als eines der besten Jugendbücher.
Wilfried Blecher, ausgezeichnet mit dem Kinderbuchpreis 1970, hat es illustriert.

Vierhundert Seiten abenteuerliche, listige, geheimnisvolle, spannende und originelle Märchen, die »man Kindern genausowenig vorenthalten sollte wie ein Paar warmer Stiefel für den Winter«. (Hessischer Rundfunk)

Eugen Diederichs Verlag

Beliebte Erzähler

Eine Auswahl

Selma Lagerlöf
Der Fuhrmann des Todes.
Erzählungen. Bd. 1461

Siegfried Lenz
So zärtlich war Suleyken.
Masurische Geschichten. Bd. 312

Jack London
Goldgräbergeschichten. Bd. 1431

Thomas Mann
Die Erzählungen. Bd. 1591/1592
Der Erwählte. Roman. Bd. 1532
Königliche Hoheit. Bd. 2
Der Tod in Venedig und andere Erzählungen. Bd. 54
Lotte in Weimar. Bd. 300
Bekenntnisse des Hochstaplers Felix Krull. Der Memoiren erster Teil. Bd. 639
Buddenbrooks.
Verfall einer Familie. Bd. 661
Doktor Faustus.
Das Leben des deutschen Tonsetzers Adrian Leverkühn, erzählt von einem Freunde. Bd. 1230

Boris Pasternak
Doktor Schiwago. Roman. Bd. 587

Ernst Penzoldt
Die Powenzbande. Zoologie einer Familie. Bd. 1406

Luigi Pirandello
Novellen für ein Jahr. Bd. 1336

Luise Rinser
Ich bin Tobias. Roman. Bd. 1551
Ein Bündel weißer Narzissen.
Erzählungen. Bd. 1612

Joseph Roth
Das Spinnennetz. Roman. Bd. 1151

Arthur Schnitzler
Casanovas Heimfahrt. Erzählungen.
Bd. 1343

Alexander Solschenizyn
Der erste Kreis der Hölle. Roman.
Bd. 1410

Patrick White
Der Maler. Roman. Bd. 1482

Thornton Wilder
Die Brücke von San Luis Rey. Bd. 1
Der achte Schöpfungstag. Roman.
Bd. 1444

Carl Zuckmayer
Die Fastnachtsbeichte. Bd. 1599
Eine Liebesgeschichte. Bd. 1560
Herr über Leben und Tod. Bd. 6
Der Seelenbräu. Erzählungen.
Bd. 140

Arnold Zweig
Erziehung vor Verdun. Bd. 1523

Stefan Zweig
Schachnovelle. Bd. 1522
Phantastische Nacht.
Vier Erzählungen. Bd. 45

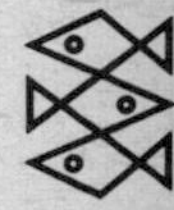